吉本プラモデル部

活動記
ACTIVITY REPORT

YOSHIMOTO PLASTIC MODEL •CLUB•

TETSUO SATO

佐藤哲夫

【アナハイムジオング】

【旧キット勢揃い】

吉本プラモデル部
作品ギャラリー

TETSUO SATO

佐藤哲夫

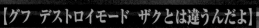

【グフ デストロイモード ザクとは違うんだよ】

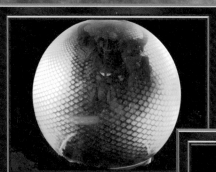

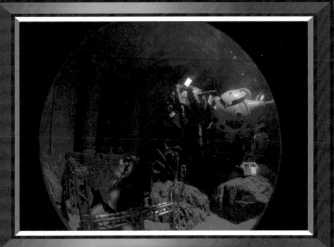

【リサイクル ズゴック】

TETSUO SATO

佐藤哲夫

【急襲敢行】

【スチームパンク風 iQOS】
（使えないけどね）

【アラレちゃんファンタジードラゴン】

© 鳥山明／集英社・東映アニメーション

QTARO SUZUKI

鈴木Q太郎

【タミヤ 1/35 エイブラムス】

だいぶ戦車模型にハマりだしてきて作ったエイブラムスです。この頃からキットだけでなくイラクの大地のジオラマなども一緒に作り始めています。

【乙女ガンキャノン】

プラモ部発足初期の頃の作品で、初期の頃の作品のわりには細かく手を加えていて自分でも気に入ってる作品です。

【副部長のガルパン作品集】

大好きなガルパンの戦車たちです。ここにはありませんがチャーリーとの合作の作品などもあります。

大好きなダグラムの作品で、旧キットを好みのフォルムに改造してあります。けっこう手を加えていてだいぶ自分でもお気に入りの作品です。

【タカラ旧キット1/48太陽の牙ダグラム】

【映画の再現～シコふんじゃった。～】

千葉しほり展示会のコンペでシネマ選手権というのがあり、そこに参加させてもらった時の作品です。考える人の可動フィギュアを改造して、もっくんを作りました。

QTARO SUZUKI

【副部長のフルスクラッチ作品集】

プラモ部の歴史の中でつどつど作ってきた作品です。プラ板から作った作品で爪切り、マイク、昔のキットに入ってたセメダインです。

【ジオン軍ご祝儀袋】

プラモ部ライブの企画で作った遊び作品で、模型でもないですが、だいぶ好評でしたのでぜひ。

【ララァ私を導いてくれ！】

ナイチンゲールを王道な感じで作りました！

吉本プラモデル部
作品ギャラリー

CHARLEY ITAGAKI チャーリーいたがき

【ガンダムレギルス（ゼハート機）】

クリアを吹いた時にしたポーズがゼハートの葛藤を再現してるっぽく見えたので、そのポーズを採用しました！

【サイコミュ高機動試験用ザク】

旧キットギャンの動画を出した際に、ありえないくらいバッシングが多かったので気合いを入れてリベンジしました！

【G-ルシファー】

誰がなんと言おうとガンダムです！

【紅蓮弐式＆紅月カレン】

リアルっぽく仕上げました！肩の弐はガ
ルバンデカールを流用しました！

吉本プラモデル部
作品ギャラリー

CHARLEY ITAGAKI チャーリーいたがき

【アンツィオ高校！】

アンツィオ高校の戦車です！全車両を作りたいと思っていたので、やっちゃいました！

【出陣！ローズヒップ！】

1/35のクルセイダーMk.Ⅲとローズヒップです！じゃじゃ馬感を意識しました！

© GIRLS und PANZER Finale Projekt
© GIRLS und PANZER Film Projekt
© GIRLS und PANZER Projekt

【西住みほ（水着）】

白って下地が透ける色なので、透け塗装にするかどうかすごく悩みました。

NORIHIRO URAI

浦井のりひろ

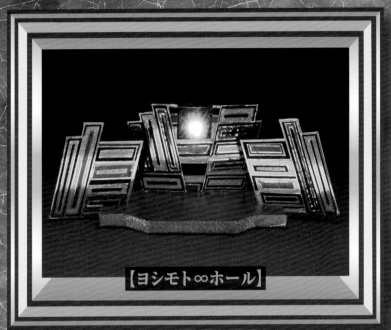

【ヨシモト∞ホール】

渋谷にある若手の劇場をスクラッチしました。プラモデル部のライブで初めて賞をいただいた思い出深い作品です。

【楽プラ トヨタCH-R サイバー塗装】

「トロン」や「ネクストライドロン」のイメージで塗りました。先に蛍光カラーをランダムで吹き、ラインを残したい所にマスキングテープを貼り黒を吹いてます。

作品ギャラリー

NORIHIRO URAI

初めてエアブラシで全塗装したMGです。スジボリを追加したりプロポーションを調整したりしています。ニューヨークの嶋佐さんに頂いて2年程放置していた経歴があります…。

【MG ガンダム THE ORIGIN 版】

【HGAC ウイングガンダム】

YouTube のハイグレードV(ファイブ)という企画にて作らせていただきました。ウイングガンダムに思い入れがありすぎて逆に作った事が無かったので無事完成してよかったです。頭部を主に改修しています。

【1/144 モビルフラット】

急にシド・ミードブームが来たので作ったものです。おまけで「フラットになりすぎたフラット」をプラ板から作っています。

【HG ダブルオーダイバーエース】

全身メタリック塗装をしたくて作りました。ミニベー
ス的なものも作っています。

【1/100 ヘビーガン】

MG F91ver2.0と並べたくて作ったキット。この
時代のキットは合わせ目消しくらいでとてもカッコ
よくなりますね。またやるとしたら関節もこだわっ
てみたいです。

【MG ガンダムアストレイ】
（ドラゴンレンジャーカラー）

まだプラモデル部に入部していな
かった頃ライブの企画に応募した時
の作品です。まだエアブラシを使っ
たことが無く全て缶スプレーで塗っ
てました。

OSAMU WAKAI

【まだ助かるガンダム】

【ステンドボール】

【仏ジオング】

【観音ガンダム】

吉本プラモデル部
作品ギャラリー

【連邦ズゴック】

SODOMU

【真！流星胡蝶けぇぇぇぇぇん！】
GBWC ではじめてファイナリストになった時の作品です。三國無双の趙雲をイメージして製作しました。

【機動刑事ヅダ】

ヅダ選手権で優勝したときの作品です。ほとんどガンプラのパーツは使っていません。

【ツイン ズゴック】

プラモ部ライブのズゴック選手権で優勝したときの作品です。甲羅を脱ぐと実は2機のMSが入っている、というギミック付きです。

【ローゼスマグナムハリケーン！】

GBWC で2度目のファイナルに行った時の作品です。会社員になった後に製作したものなので芸人時代ほど時間に余裕がなく締め切りギリギリまで自分の限界を超えて作りました。

吉本プラモデル部 作品ギャラリー

【MG 1/100 RX-78-2 ガンダム Ver.3.0 ソリッドクリア／スタンダード】

ガンダム一番くじで一発で引き当てました！！
初めて部長に会った際に見てもらった作品でもあります。

【バンダイフィギュアライズメカニックス フリーザの小型ポッド】

オリジナルと色味は違います。某飲料メーカーのCMのフリーザがカッ
コ良かったので！それをイメージして塗装してみました。ちなみに！浮
遊式ディスプレイを仕込んでますので浮きます！

© バードスタジオ／集英社・東映アニメーション

【MG 1/100 プロヴィデンスガンダム】

ヨドバシカメラ博多さんに行った際にプラモコーナーのショーケースに飾られていた、福岡のモデラーさんが作られたプロヴィデンスガンダムがめっちゃかっこよくて僕も作りたいとインスパイアされ制作したものです。

【機龍】

吉本プラモデル部チャンネルでの初制作動画でアップした機龍です！メタリックの塗装なので、下地が平滑になるように意識して塗装しました！

【こいつ、光るぞっ！】

ガシャポンのガンダムヘッドを電飾工作しグラデーションを施したものです！

KIYOSHI YOKOYAMA

横山きよし

【100㎜ジオラマ　冬のジムニー】
ガチャガチャの1/64ジムニーで雪中ジオラマに
しました。

【100㎜ジオラマ　CLUB Eden】
1/35ランバ・ラル独立遊撃隊セット
のラルさんを若く改造して作りました。
蛍光塗料でUVライトでネオンが光り
ます。

【100㎜ジオラマ ターレー 1/32】
プラモデル部の動画で48時間以内で
作った物です。

【100㎜ジオラマ カーブミラーとブロック塀】
1/35 です。外へ出て写真を撮ったら馴染みました。

【100㎜ジオラマ インフィニティミラートンネル】
100㎜の土台に合うようにインフィニティーミ
ラーで奥行きを表現しました。

SATOH PERIOD.

佐藤ピリオド.

【紅武者アメイジング】

こちらを AKIRA 風にしました。

【ヘルボーイ】

Q 太郎さんからコロナ自粛中にお家で良かったらと送って頂いた
作品、筆塗りが好きになってきたキッカケの作品

【ファフニール】

筆塗りにハマってきた際に夢中でやった作品。ボークスさん最高。

【アーリーガバナー vol.2】

押井守さんの作品【人狼】っぽく塗りました。

【フィギュア用ジオラマ】

プラモやアクションフィギュアを並べられるジオラマ？をスチレンボードで作って遊ぶのが好きです。

【バットマン（ダークナイト）】

メビウスという海外キットです！ミニライトとプラ板でバットシグナルも作成しました！！

【エイリアンウォーリアー】

子供の時観てトラウマになるくらい怖かったエイリアン！グロテスクにカッコ良く作りました！

【Nintendo Switch フルスクラッチ】

プラ板でゼロから作りました！これは３台目でJoy-Conも取り外しできるんですよ！（笑）

©Nintendo

【メガサイズザク】

１番ディティールアップしたプラモデルです！夏休み全部使って作ったので、とても思い出に残ってます！

【アースリィガンダム(ep18版)】

熱い展開目白押しのガンダムビルドダイバーズ Re:RISE
その中でも特にお気に入りの一つ、18話に登場した主人公機の姿を再現しました！肩のマークはオリジナルです！

【お家でホビーショーで製作したドム】

3チャンネル合同で行った「お家でホビーショー」開催中に裏で製作していたドムです。実際は作りきれず結構追加でいじってます！

【奥義実践ゾック】

もこんちゃん奥義伝承のコーナーでサクライ総統による奥義「サクライ・ナッジーム」を実践したゾックです！質感が変わっただけで凄味が増した気がしませんか？！

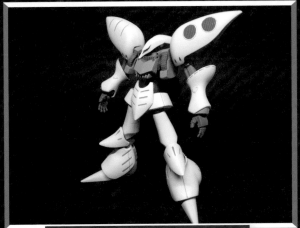

【部長支部長対決キュベレイ】

部長とテーマを設けて作った作品。1/220 キュベレイをフル可動にしました！
今見ると手直ししたくなるけど、思い入れの強い作品です！

【Hi-νガンダム（九龍カラー版）】

記念すべき吉本プラモデル部入部一作目にして、エアブラシ復帰
作です！気合入れてモデグラ誌の伝説的作例のカラーパターンに
挑戦しました！　粗だらけですが、特にお気に入りの作品です！

BLIZZARD KATAKURA

片倉ブリザード

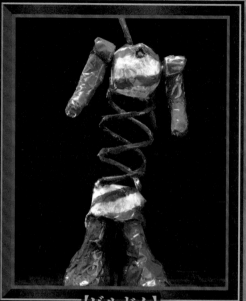

【グラキリンサウルス】

ゾイドワイルドのグラキオサウルス
を筆塗りで黄色く塗りワイルドブラ
ストした時にキリンになるように作
りました。

【ビルドム】

仮面ライダービルドが放送していた時に作った作品
です。ドムにセロハンテープと針金を使いぐるぐる
巻きにして化学の二重螺旋構造みたいにしてビル
ドっぽくしました。

【人参再起】

風雲再起の角をプラ棒で長くして遠くの敵にも攻
撃でき人参角にチェンジすることで速さを感じさ
せ人参バズーカを放つことができるイメージで作
りました。

吉本プラモデル部活動記

CONTENTS

吉本プラモデル部活動記

CONTENTS

第1章

仮組み編

吉本プラモデル部、本気でやってます！

われらが佐藤哲夫部長、鈴木Q太郎副部長の2名が登場。プラモにかけてきた思いを本音で語るインタビューをお届け。近年の我々の活動報告もサラっとご紹介します！

部長 佐藤哲夫

TETSUO SATO
Interview
インタビュー

プラモ界をショーアップすべく
僕たちも貢献していきたい！

吉本プラモデル部
YOSHIMOTO
PLASTICMODEL
CLUB

幼稚園の頃からプラモは
「塗装するもの」だった

僕が初めて自分のお小遣いで買ったプラモデルは、1/144 の量産型ズゴック（※1）でした。確か4歳か5歳くらいでしたが、大分のトキハデパートに家族で出かけ、僕がたまたま見つけたガンキャノン（※2）を買いました。しかし、それはプラモデルではなく、ガンダムカラーの塗料セットだったのです（笑）。お小遣いを全部はたいて、塗料を買ってしまったわけで、僕は泣いてしまいまして……。

それで、次の日にオヤジが模型店で量産型ズゴックのキットを買ってくれたんです。でも、最初に買った塗料はガンキャノンのセットなので、ズゴックは塗れない。そこでオヤジが赤・青・黄・白・黒の塗料セットを買ってくれました。オヤジが言うには「この5色があれば、どんな色でも作れるから」と。ズゴック用のカラーを買ってくれたのではなく、自分で混ぜて色を作れということだったのです……。

初めてのキットがそういういきさつだったので、僕にとってのプラモデルは最初から「塗装をするのが当たり前」でした。ひたすら箱絵を見ながら塗ったので、そのズゴックはすごくブルーでした。本当はもっとグレーなのですが、箱の絵が水の中の場面を描いていたためです。

とにかく、幼稚園の頃から塗装していたので、その流れで小学校高学年では缶式のエアブラシも使っていました。友だちの間では「あいつ、プラモうまいぞ」と言われるくらいにはなっていたと思います。高校生くらいまではずっとプラモをやっていたのですが、卒業してから、吉本興業とかいう（笑）企業に入りまして、この会社がなかなかお金をくれないのですね……（笑）。それで、ガスやら電気やらが止まってしまうことも多く……。しばらくプラモとは遠ざかってしまいました。

その後、息子がプラモに興味を持って一緒に作ったことがきっかけで、吉本プラモデル部の結成につながったわけですが、その間はごくたまに作ったこともあった程度でした。で、息子が好きだった「ダンボール戦機」（※3）をいくつ

用 語 解 説

※1 ズゴック
「機動戦士ガンダム」に登場するジオン公国軍のMS（モビルスーツ）。首がなく胴体にモノアイ（単眼）カメラを内蔵。量産型である水色の機体のほか、シャア・アズナブルが搭乗する赤い機体もある。

※2 ガンキャノン
ガンダムに登場する、地球連邦軍の MS。連邦製 MS 初の二足歩行を可能にした機体で、メインパイロットはカイ・シデン。劇場版Ⅲ「めぐりあい宇宙」ではハヤト・コバヤシも搭乗した。

か作ったんですね。ちょうどその頃に、誰かの結婚式の引き出物が、選べるギフトになっていて、その中に「シャア専用ズゴック」があったんですよ！

　ワイングラスセットにするか、MG（マスターグレード）ズゴックにするかということになり、私の一存でズゴックになったのです。届いたMGズゴックを見て、「おお、近頃のガンプラはこんなにすごくなっているのか」と感動して、「よし、もう一度ガンプラを作ってみるか」と決意したんです。そこからですね。しばらくガンプラを作っていたら、息子も目覚めましてね……。息子にすれば、ダンボール戦機からのステップアップにもちょうどよかったと思います。

　そんなタイミングで、アニメの「ガンダムビルドファイターズ」（※4）が放送開始になり、これには親子で激ハマりしましたね。で、ますますガンプラ熱が高まっていきました。ガンダムって、長年製作されているから、「どのガンダムの世代？」という会話で盛り上がったりできるんです。ガンプラを作りながら、自分が見ていなかった作品にも興味を持ってチェックしたりするようになりました。

名優・石坂浩二さんとも
モデラー同士として語り合える

　プラモ部で活動していてすごく思うのは、ひとりで籠っている時間は本当に作っている間だけで、「基本的には相当アクティブな趣味である」ということですね。Qちゃんたちがガルパンの舞台である大洗に行くような「聖地巡礼」のパターンもあるし、テーマを決めて作品作りにチャレンジするとか、ホビーショーへの出展を目指すということもあるでしょう。あるいは、「こんなショップがあるぞ」という情報を交換して出かけてみたりとかね……。オフ会では、みんなで作品を持ち寄って酒でも飲みながらワイワイとプラモを語り合ったり

用　語　解　説

※3 ダンボール戦機
P111 参照

※4 ガンダムビルドファイターズ
2013 年にテレビ東京系列ほかで放送開始されたアニメ。バンダイから市販されているガンプラとそれを用いた架空のシミュレーション競技「ガンプラバトル」がテーマだった。

していますし。

　アクティブに動こうと思えば、いくらでも動ける趣味だと実感していますね。以前は、ひとりで作って飾ったりしているだけだったのですが、今思うともったいなかったと……。あと、これはQちゃんが最初に気づいたことなのですが、プラモ界というのは、「最高レベルのすごい人たちに、簡単に会うことができる」世界なのです。

　例えば、ガンプラの巨匠であるMAX渡辺（※5）さんとか、川口名人（※6）にも、僕らはプラモデル部を始めた半年後くらいにお会いしています。MAX渡辺さんは、モデラーたちが集まるオフ会のゲストとして普通に来てくれるのです。僕らが行くプラモイベントには、彼らのような達人たちが必ず来てくれるんですね。本当にプラモを愛する人たちだから。俳優の石坂浩二さんは「ろうがんず」（※7）というプラモデルクラブを結成してご活躍されているのですが、石坂さんだってホビーショーには毎年来られています。

　石坂浩二さんといえば、僕らが20年以上芸能界にいても到底お会いできないような名優で、もうスーパースターですよ。たとえ番組でご一緒できたとしても、とてもお話なんかできそうもないレベルの方です。でも、ホビーショーに行けば、モデラーのひとりという感じで、完全に溶け込んでしまっている……。ご一緒にお酒を飲んだこともあるんですよ。すごくないですか？　だって、自分の目の前でプラモを語り合っている人が、石坂浩二さんなんですよ！

　とにかく、プラモの世界は、トップレベルの方や業界の重鎮のような方でも、皆さん気さくに接してくれるので、本当に素晴らしいです。ホビーショーだと会場も広いのですが、喫煙所を何度か覗けば、かなりの確率で川口名人に会えますからね（笑）。

プラモデルに必要なのは「知識と根気と家族の理解」

　近年におけるキットの進化は目覚ましいものがあります。むしろ進化がすご過ぎて僕らがいじるところがなくなってきている。例えば関節パーツにし

※5 MAX 渡辺
著名なプロモデラーで、ガンプラの第一人者。ガレージキットメーカー「マックスファクトリー」代表。塗装法の「MAX塗り」や「コピック塗り」を確立した功績でも知られる。

※6 川口名人
キット発売前にMSのモデルを完全自作するなど、伝説的なモデラーであり、バンダイ入社後は開発者としてガンプラブームの立役者となった。漫画やアニメにも実名で数多く登場している。

ても、内部フレームが最初から組み上がっていたりして、カチャカチャって合わせるだけで脚ができるわけです。でも、そういうキットの場合、脚を2ミリ長くしようとか思ったら加工するのがものすごく大変になってしまう。内部フレームから改造しないといけなくなるので……。キットが進化したことによって、いじるのに余計な手間がかかるようになっていますね。もちろん、ビギナーレベルの人でもすごくカッコいいものが作れるという利点があるので、キットが進化すること自体は、とてもいいことですけどね。

　プラモという趣味がちょっと誤解されているなと感じるのは、「手先が器用な人がやるもの」だと思い込んでいる人が非常に多いことですね。まったく器用さは必要ありませんよ。僕もQちゃんも、もともと手先が器用なほうではありません……。いつも口を酸っぱくして言うことは、プラモデルに必要なのは「知識と根気と家族の理解」。この3つなのです。

　とにかくこの3つさえあれば、プラモは絶対に上手くなります。プラモの技術は、知識があれば簡単にできることばかり。やり方を知らないから上手くできないだけで……。どんなに不器用な人でも、やり方をちゃんと知っていれば絶対にうまくできるんです。最近のキットはパーツの量もすごいです。昔プラモをやった人だと、箱を開けて2時間くらいやれば、できちゃうものだと思っているかもしれない。

　でも今のキットはそうじゃない。膨大なピースのジグソーパズルみたいなもので、毎日少しずつ作業しながら1ヶ月くらいかけて完成させるものだと思ったほうがいいです。感覚としては、盆栽に近いかもしれません。寝る前の時間に、毎日ちょっとだけ手を加えていくという遊びだと思ってほしい。でも、どれほど膨大なパーツが入っていても、いつかは必ず完成できるのです。知らないうちにパーツを足していく妖怪でも現れない限り（笑）……。

　なので、不器用だろうがなんだろうが、プラモは誰にでも気軽に楽しめる趣味であることは確実。ガンプラの場合、対象年齢は8歳以上などと書いてあるのですが、ウチの息子は2歳で作っていましたからね。息子は絵本を読むより先に、説明書を読めるようになりました。絵を見て内容を理解できたのです。本当に誰にでもできるものだと認識してほしいですね。

用 語 解 説

※7 ろうがんず
2009年にモデラーとしても有名な俳優の石坂浩二が結成したプラモデルクラブ。老眼世代にプラモデルの楽しさを再認識してもらおうと7人の発起人により発足し、精力的に活動中。

※8 高橋名人
本名は高橋利幸。ファミコン全盛期にハドソン所属のファミコン名人として一世を風靡し、歌手としても活動した。日本におけるプロゲーマーの先駆的存在として有名。

プラモ業界にはエンタメ要素が必要
僕らの力を生かす場がきっとある

でも、プラモ業界のほうが、完全に消化しきれていないかなと思うことはあります。プラモのキットは素晴らしく向上したけど、それでファンがついてくるわけではないと僕は思う。それをどう楽しませるかという部分で、まだまだ洗練されていないようにも感じます。プラモ業界にはすごい達人が大勢いるのに、彼らをうまく生かせていない気がしますね。ホビーショーなどは、もっとショーアップにこだわってもいい。第一線で活躍されている有名なモデラーが、本当に小さなブースでインカムをつけて解説しながら実演したりしていますけど、それってあまりにも勿体ない。

本来はMCさんがいて、「今から〇〇さんの実演が始まりますよ！」とかあおって盛り上げて、派手なBGMとともに達人が登場するとか、そういう演出があってもいいはずです。ものすごい技術を持つプロモデラーの方が、小さなブースでボソッとしゃべりながら地味に実演しているなんて、あり得ないでしょ。彼らは業界のスターなんだから、もっと業界を挙げて彼らを後押ししてもいいんじゃないかなと思います。昔、ゲームの高橋名人（※8）が活躍しましたけど、僕らも子供時分には憧れましたよ。映画にもなりましたからね。プラモ業界でも、プロモデラーがチビッ子の憧れになるような仕掛けをしたらいいと思うんです。

だから、プラモ業界にももっとエンタメ要素を追求してほしいですね。僕らもホビーイベントに呼んでいただくことがあるのですが、「これはいったいどの学会のシンポジウム？」っていうくらいにきっちりしている（笑）。伝統を守ることも大切だけど、もっと大胆な発想も必要なんじゃないかと。かつて高田賢三（※9）さんがパリのファッションショーを変革させたようにね。

今のホビーイベントは、模型好きしか楽しめないようなスタイルなのです。新参者や初心者には少し冷た

※9 高田賢三
25歳で渡仏、民族衣装をアレンジした斬新なデザインで脚光を浴び、世界的なファッションブランド「KENZO」を立ち上げた。2020年10月、新型コロナウイルス感染により、81歳で逝去。

模型イベントのリポートも恒例の企画。
これは2019年の全日本模型ホビーショーを部長とチャーリーいたがきがリポートしたもの。

い。新しい人が入りにくいことはデメリットだと思います。例えば、僕らがプラモデル部のイベントでやっているようなキットを使った大喜利などは、プラモを全然知らない人が見ても楽しめるようにやっています。難しいかもしれないけど、僕らをどんどん使ってもらって構わないので……。いや、ぜひ使ってください（笑）。僕らもプラモ好きとして、業界に少しでも貢献したいと思っていますからね。

　イベントをショーアップしようというからには、自分たちが先陣を切ってやるという意欲は持っています。そのために「プロモデラーをスーパースターにするのはオレたちの役目だ」と思っていますね。例えば、プロモデラーがすごい技を見せた時に、隣でリアクションする人間がいなければ、すごさが伝わりません。

　そのすごさを本当にわかっている人間がリアクションしないと意味がないし、あるいは「私だったらこんな風に失敗しちゃうんだけど、さすがですねぇ」という一言があれば、説得力も増すでしょう。我々もそんな役目を果たせるように、常に勉強をしていかなければいけないと思っています。一応、僕もGBWC（ガンプラビルダーズワールドカップ・※10）でファイナリストになっています。僕が「すごい」と言ったほうが、ファイナリストの感想ということで説得力が違ってくるはずです。芸人としてプラモを本気で愛して、真剣にやっている僕らだからこそ、僕らにしかできないことが絶対にあるはずです。

　僕らも、本気でやっているというところを皆さんに見せたいし、見せなくてはいけないと思っています。こんな僕たちをこれからも応援してくだされば幸いです。

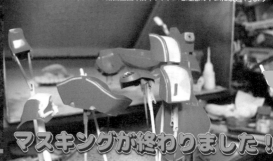

吉本プラモデル部チャンネルでは、部長の実践テクニックを動画で解説している。こちらは2019年7月30日の動画企画「旧キットドムを理想のドムに改造！」より

マスキングが終わりました！

用語解説

※10 ガンプラビルダーズワールドカップ
日本を含む16のエリアが参加する、BANDAI SPIRITS公式のガンプラ製作世界一決定戦。佐藤哲夫部長は、同大会の2014・2015・2018年の日本大会ファイナリスト。2016年日本大会準優勝の実績。

TETSUO SATO

部・長・語・録

吉本プラモデル部

Vol.
1

パーツにヤスリをかけるんじゃない

命をかけるんだ！

今とても不安だろう？

大丈夫！

サフ吹いたらまとまる

副部長
鈴木Q太郎

吉本プラモデル部
YOSHIMOTO
PLASTICMODEL
CLUB

QTARO SUZUKI
Interview
インタビュー

僕らが本気でプラモを
やっていれば、
ふざけても笑って
もらえるんです

ファミコンが発売されて
子供時代はプラモ熱が冷めた

僕がプラモに出合った時は、ガンダムとかカッコいいロボット系のキットがすべて売り切れていたために、「ビグロ」（※1）というモビルアーマーのキットを買って作ったのが最初でした。接着剤も付属品のチューブに入ったヤツを使って、とにかく貼り合わせてなんとか作り上げたというレベルでしたけど……。で、そこから徐々にガンプラに入り込んでいったのですが、ガンダムだけではなく、「聖戦士ダンバイン」（※2）など他のロボット系アニメのキットにも手を出していましたね。

ただ、当時の僕は塗装などまったくしていなくて、うまく作れたかどうかという指針は、「接着剤を使うときにいかに指紋を残さずに作れるか」ということでした。小学校低学年くらいの時ですね。「合わせ目を消せる」という知識もなかったので、ただ接着剤を付け過ぎずにきれいに貼り合わせる、ということにひたすら一生懸命でしたね。

ところが、ファミリーコンピュータの発売でプラモ熱が一気にしぼんでしまい、小学校高学年で僕のプラモはいったん終わってしまいました。で、吉本プラモデル部の結成直前でなんとなくプラモを再開し、現在に至っています。その間のブランクが相当長かったので、再開した頃はもう驚きの連続でしたね。接着剤が不要のキットがあることもビックリだったし、「ダンボール戦機」とか、異なるモデルのパーツを組み替えが可能だったりして……。（はあ、時代ってすげえな……）と思いました。

用 語 解 説

※1 ビグロ
『機動戦士ガンダム』に登場する、ジオン公国軍の宇宙用量産型モビルアーマー（MA）。鳥を思わせるデザインで、ガンダムの中では比較的メカニカルなシルエット。

※2 聖戦士ダンバイン
1983年に名古屋テレビ系で放送開始されたアニメ作品。監督は富野由悠季。いわゆる「ファンタジーロボットもの」の元祖で、現在における異世界転移ジャンルの先駆けとなった。

鈴木Q太郎副部長の生配信での発言を契機としてスタートした、動画企画「頭文字Q」。
部員有志で「頭文字D」のキットを作るもの。同企画には著名なプロモデラーも続々と参加した

プラモデル部の結成当初は
部長にエアブラシを借りていた

　で、子供の頃にはやっていなかった塗装もやろうということで、缶スプレーも買いましたし、また塗ってみるとこれが面白くて……。「部長、メタリックを塗ったら本当に鉄みたいになるんですね！」とか、いちいち感動していましたね（笑）。

　プラモデル部ができた頃は、エアブラシを使いたくて、部長の家に行ってたりしていました。エアブラシは高額だし、使うスペースを確保するのも大変で、ハードルが高いんです。わからないことを聞いたりもできるので、ちょくちょく部長のところにお邪魔していました。そのうち、エアブラシがあったほうがいいなと気づいて自分でも導入したのですが、そうなると「これはいいな」ということで、個人活動が充実していきました。半面で部活の意味がやや薄れてしまうのですが……（笑）。

　ただ、集まって道具を貸し借りするところから脱却して以降は、部員同士でショップに買い物に行ったり、プラモデル部のライブ活動も始まったので、徐々に部としての活動が活発になっていきました。YouTube動画の撮影でも顔を合わせますし、集まる機会も増えていったので、情報交換もできるし、みんなでプラモを楽しめるようになっています。展示会やホビーショーにも吉本プラモデル部で参加していますからね。

難しいことは何もやってない
ただやり方を知っているだけ

　僕の場合、プラモを再開したのが40代でしたから、30年くらいのブランクがあったわけです。その間のキットの進化がもうハンパじゃなくて……。MG（マスターグレード・※3）なんか、「おいおい、ウソだろ？　可動部、こんなに曲がるのかよ！」って。とにかく驚きでしたね。ただ、セメダインだけはまったく昔のまんまでしたけど……（笑）。

　本格的にプラモをやるようになって、まだ、4、5年というところですけど、その間にも本当に進化がすごいんですよ。最近で言えば、黒い接着剤が登場しているのですが、あえてパーツの合わせ目を消した跡をわかるようにする高度な手法なのです。関節をスムーズに動かせるポリキャップ（※4）というパーツがあるのですが、近年ではこれが軟質のプラになったりしている。ポリキャップは硬質ですが、これだと柔らかいので動かしても削れていかないんですね。「スムーズに動かせるプラ」って、結構画期的なんですよ。ポリキャップは接着や塗装ができないという弱点があったのですが、プラだから接着も可能ですからね。

　プラモを全然知らない人に、僕の作品を見せると「うわぁ、すげえ」って言われることも多いのですが、実は全然すごくない（笑）……。完成品だけを見ると、すごい難しいことをやっているように見えるのですが、実際はこちらに情報があるだけで、やり方自体は決して難しいことじゃないんですよね。

　だから、僕は「すごいことは何もやっていないよ。プラモって本当は簡単にできるんだよ」って言いたいんですよね。世間の人は、簡単にや

用 語 解 説

※3 マスターグレード
バンダイが発売するプラモデルのブランド名。モビルスーツ（MS）の 1/100 スケールモデルが主力商品。後にパーフェクトグレード（PG）シリーズが商品化され、現在はガンプラのスタンダードアイテム的な位置づけに変わった。

※4 ポリキャップ
キャラクター系プラモデルの関節部分において、接合・保持の役割を果たす部品。キットに同梱されるほか、改造や自作用にも市販されている。

る方法があることを知らないだけなんですよ。例えばメタリック塗装なんて、誰にでもできるようなごく簡単なものなのですが、「うわぁ、本物の鉄みたいに見えるね。本当にプラスチック？」なんて言われちゃう。実際は技術じゃなくて、知識なんですよね。この本の読者には、プラモ初心者の方もいるかと思うので断言しますけど、やり方を知ればあなたにも絶対にできます！

プロモデラーをスターに
できたらいいと思う

　プラモ業界にもね。もうちょっとポップにやってほしいんです。例えば、ホビーショーのようなプラモ業界の見本市だと、各メーカーの社員の人たちが「わが社の新しいキットです」と紹介していますけど、これがゲームショーだと全然違いますよね。すっごい綺麗なお姉さんたちが派手なコスチュームに身を包んで並んでいたりとか、もうとんでもなくキラキラしていますよね（笑）。セガとかカプコンのブースに、トップクラスのモデルさんが並んでいるわけです。「うわぁ、綺麗なお姉さんだなぁ」ってみんなが集まるし、夢がありますよ。まあ、ゲーム業界は持っている予算が違うので、そういうこともできるんですけど、プラモ業界も、もう少し柔軟な発想を持っていいんじゃないかなって思いますね。

　保守的というか、これまで培ってきた伝統は大切にすべきだとは思いますけど、そのうえで新しい風を吹かせていくべきなんじゃないですかね。僕が強く思うのは、吉本プラモデル部がプラモ業界の役に立てるとするなら、部長も言っていることですが「プロモデラーをスーパースターにする」ことですかね。これは僕らの使命だとも思っています。もし、ホビーショーとかで、1ブースを僕らに任せてもらえたなら、我々なりのやり方でプロモデラーをちゃんとスーパースターに見せられる自信がありますよ。長年舞台をやってきているので、音響の入れ方とか照明の当て方もわかっていますし、メ

ンバーにはプロの構成作家もいるので、きちんとした台本も作れますからね。むしろ、今の日本でこの役割を果たせるのは、「オレたち吉本プラモデル部をおいてほかにいないぞ」と思っています！

プロモデラーの技術のすごさを伝えるには、僕らがそれをしっかり理解できていなくちゃいけないので、僕らが本気でプラモをやっていないとダメです。本気でやることによって、イベントとかでギャグを入れても生きるわけです。本気じゃないと、「なんだよ。芸人が茶化しにきやがって」と思われるかもしれないので……。本気でやれば、ふざけても喜んでもらえるんだと思うんですよ。本気でやるから面白いのかなと。茶化すこととふざけることは違いますしね。例えば、全力で塗装とかも丁寧に一生懸命やって、それでバカみたいな作品を作ると、すごくウケるんですよ。でも、ふざけた作品だからって、手抜きで作ったら、きっと怒られると思います。

だから技術的には全然大したことなくても、ハートだけはプロモデラーに負けないくらいの気持ちで、僕らプラモデル部員はみんな本気でやっていることはお伝えしておきたいですね。趣味だからこそ、真剣なんですよね。とにかく、みんながプラモをより楽しめるように、我々が遊び方の提案をどんどんしていきたい。これからも、我々の活動に注目していただければうれしいです。

部員のチャーリーいたがきと一緒に、『ガールズ＆パンツァー』の舞台・茨城県大洗町に行く聖地巡礼の動画企画。「プラモを作る」と言いながら、結局作らないのがお約束……

僕たち、こんなことやってました

Report that we were doing this

REPORT

これまでに開催したライブ活動など、吉本プラモデル部の活動の一部をダイジェストでご紹介します。一般の方にはピンとこなかったらごめんなさい……

2017年7月14日

吉本プラモデル部ライブ ver.∞

～麺より面にこだわる者達～

at 渋谷ヨシモト∞ホール

この日のライブは『ギャルウケプラモ発表会』で幕開け。ギャルにウケるプラモデルを部員たちが製作。部長の作品「水木しげる風ジバニャン」の完成度に会場から歓声が。そして第2回『吉本プラモデル部抜き打ちテスト』も開催。約4年間の活動を経た部員たちに対して、プラモデルの知識を問うテストを実施し、珍回答続出で会場は爆笑に包まれた。最後は「武器選手権」。部員たちの力作を抑えて、一般参加の「そこのMP」さんが優勝！　一般参加として初の優勝者誕生に会場は大盛り上がりだった。

2017年12月1日

吉本プラモデル部ライブ ver.∞

～いや、そういうのじゃなくて
黄色い無地のマスキングテープください編～
at 渋谷ヨシモト∞ホール

「プラモ以外の物をディテールアップしてみようのコーナー」から。部長がアイコスをディテールアップした、スチームパンク風アイコスを発表して歓声を浴びる。続いての「プラモショートコント」コーナー、部内で普段プラモをあまり作らない4人による「初心者トーク」でも場内は大爆笑。恒例の「ドム選手権」では、当時まだ見習い部員だった男性ブランコ浦井のドムが話題に。微妙な作品のため、浦井が正式部員になるのは「保留」ということに……。選手権は、一般参加者が1～3位を独占という結果となった。

2018年4月6日

吉本プラモデル部ライブ ver.∞

～パンサーが出ます。※戦車の方ですけど編～
at 渋谷ヨシモト∞ホール

食玩の改造作品を披露する「食玩で遊ぼう」コーナーで幕開け。「ウルトラマン VS マグマ星人‼」などが笑いを誘った。続いて「初心者トーク」では、ビギナー部員4人にプラモ用語の意味を答えさせたが、意外に健闘する部員に拍手喝采。さらに「Hobby JAPAN presents プラモ大喜利」を開催。漢字の間違えなど、本筋とは異なるボケで笑いを誘う部員も⁉。最後は目玉企画「スケールモデル選手権」。力作ぞろいの中で優勝は、ヨシモト∞ホールを作った男性ブランコ・浦井（※15ページ参照）。その功績で、浦井が見習い部員Bランクから見習いAに昇格を果たした。

2018年12月31日

吉本プラモデル部チャンネル登録数 5万人突破！記念

『超巨大！1/20 バルキリー製作会』

at 秋葉原工作室

登録者5万人突破を記念して、プラモデル部員11名と、さらにプロモデラーのサクライ総統とチョートクヨシタカ氏も参戦し、超巨大な1/20 キットのバルキリー製作の模様を生配信。なんと7時間を超える激闘となり、ついに超大作バルキリーが完成。その模様は途中機材トラブルのため、3回に分けて生配信された。激闘の模様を多くの視聴者さんが見守り、部員たちに熱い声援を贈ってくれた。なお生配信を見逃した方も、アーカイブが現在も視聴可能だ。

2019年8月6日

『吉本プラモデル部 ちょっと大人のプラモトーク「飲みプラ」』

at LOFT9 Shibuya（ロフトナイン渋谷）

いつものライブとは一味違う、トークショーを開催。吉本プラモデル部チャンネル「模魂ちゃん！」でおなじみのサクライ総統＆チョートクヨシタカ氏のプロモデラー両氏もトークに参戦。スペシャルゲストとして、大活躍中の声優・泰勇気さんと夏陽りんこさんも登場してくれた。濃い〜内容のプラモトークに会場は大盛り上がり、限定カラーの「ポリキャップ」や、ガイアノーツさんの限定カラーの塗料などの販売も好評。大盛況につき、恒例の企画として開催していくことが決定した。

2019年12月24日

『吉本プラモデル部「ちょっと大人のプラモトーク「飲みプラ」2号機」』

at LOFT9 Shibuya(ロフトナイン渋谷)

大好評「飲みプラ」をクリスマスイブに再開催。「2号機」としてよりパワーアップ。参加メンバーは吉本プラモデル部員より佐藤哲夫部長、鈴木Q太郎副部長に加えて、人気者のチャーリーいたがきと大阪支部長のアイバーが登場。さらにゲストのプロモデラー陣も豪華。前回に引き続いてのサクライ総統＆チョートクヨシタカの両氏に、名古屋より朱凰＠カワグチ氏、北海道よりアニキこと POOH 熊谷氏も登場してくれた。自身の作品を持参して解説してくれるプロモデラーのトークなど、貴重な話が満載で、大いに盛り上がった。

2019年12月28日

チャンネル登録 10万人突破記念！朝まで生配信

『ガンダムのOPをジオラマで再現』

at 吉本東京本社

チャンネル登録者 10万人突破を記念し、大がかりな「朝まで生配信」にチャレンジ。部員12名にサクライ総統＆チョートクヨシタカ氏も加わって、総勢14名による「機動戦士ガンダム」のオープニング映像のジオラマ製作に挑戦した。直前の変更で吉本本社にて実施されたが、塗装環境もないため筆塗りを使ってジオラマに挑むという苦闘を経て、トータル10時間超えで完成に至った場面はまさに感動のフィナーレ。製作中には、吉本プラモデル部がこれまでお世話になった方々からのお祝いビデオメッセージも披露された。

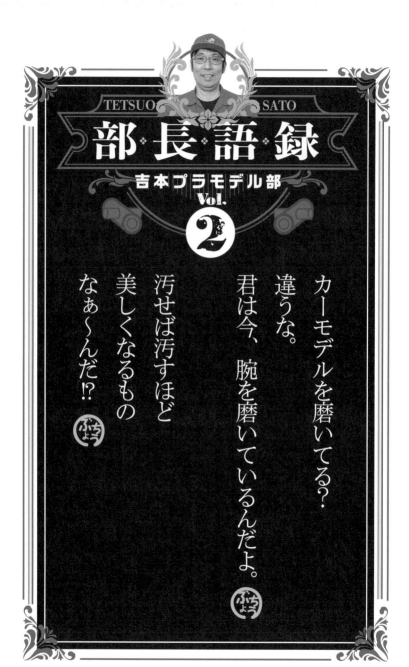

カーモデルを磨いてる？
違うな。
君は今、腕を磨いているんだよ。

汚せば汚すほど
美しくなるもの
なぁ～んだ!?

第2章

本組み編

吉本プラモデル部、こんなヤツらです！

本章では、哲夫部長以下、各部員たちのプロフィールを詳しくご紹介。プラモ好きな人なら、クスっとすること間違いなし。精鋭メンバー4名によるスペシャル座談会もやっちゃいました！

TETSUO SATO

佐藤哲夫 部長

副部長から一言

■プロフィール

1976年4月3日生まれ。大分県出身。福岡吉本6期生。2001年4月に芸人としてデビューし、2009年には「M-1グランプリ」で優勝に輝く。吉本プラモデル部の部長を務め、ガンプラビルダーズワールドカップで度々入賞するなど、モデラーとしての実績も十分。

部員名：佐藤哲夫
ニックネーム：部長、てつおプライム
年齢：44歳（精神年齢14歳）
プラモ歴：出戻り（初プラモは4歳）
初めてのキット：旧キット1/144量産型ズゴック
受賞歴：GBWC2014、2015、2018ファイナリスト、
GBWC2016日本2位

好きなプラモ工程：スジボリ（※1）
オススメキット：HG（ハイグレード）ドム、HGジオング

模型を愛する頼れるリーダー！仕事で一緒になっても必ず漫才以外の時間はヤスリをかけている！ある意味変態。部員たちは、家では入浴中でも食事中でもプラモを作っているんじゃないかと疑っている。模型に関してピュアすぎるので、部員たちで悪い人に騙されないように守るのと同時に、騙してプラモや工具を買ってもらったりもします！

MY STATUS 自己紹介コメント

プラモ関連だと簡単に人におごるクセがあるので、部員からは陰で「サイフ」と呼ばれている……。

それは本人も知っていて、ちょっと怒っています……。

「このキット欲しいんですけど」と言われると、すぐに持ってくるため、そのスピードから「てつおプライム」と呼ばれることも……。

パンクブーブーの人にとても似ているけど、たぶん別人（笑）。

転売ヤーが大嫌い。プラモが好きな人はみな友だちだと思ってしまう……。老眼。

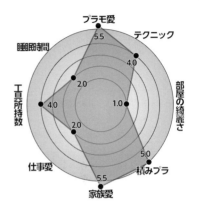

SCHEDULE OF A DAY 1日のスケジュール

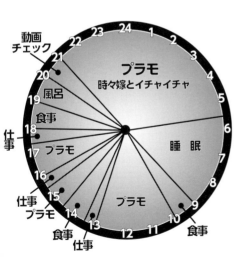

実質の仕事時間がかなり少ないため、仕事の合間に工具を買ったり、仮組みをしていることもあります。長距離移動の新幹線の車中で仮組みをしたことも。新幹線でのスジボリも何回か試したことがあるけど、必ず失敗するので諦めました……。

泊りの仕事の時には、ホテルでもプラモをしていますが、臭いのあるものは使わないように心がけています。

普段着ている服は、だいたいストリクトGか模型メーカーのTシャツ。

模型人たちの作業場

MAIN DESK メイン机

ここでおもに作業をしています。筆やヤスリ、ナイフなどは 100均で購入したスタンドに突き刺しています。奥さんが2つ買ってきてくれましたが、さらに2つ追加。おそらく、近々さらに2つ追加することになりそう……。

PAINT

塗料

ここに塗料を保管していますが……増える！ なんだか知らないけど、どんどん増えます……。

ここに遊びに来た部員たちは、好きな塗料を持って行っていいことになっています。というか、そういうことにされてしまって……。

メインで使う塗料は、別の場所に保管していますが、そっちから持って行ったらさすがに怒ります。どうしてもと言われたら……あげるけど。

TOOLS

工具類

ここに工具を収納しています。最初の2つくらいはしっかり工具箱を買っていたのですが、結局100均のボックスが安いし、透明なので便利だと。プラ棒などはゴミ箱（これも100均）に突き刺しています。

PAINT BOOTH

塗装ブース

自慢の我が塗装ブース「ネロブース」です！ 配管パイプは直接接続されています。窓ガラスを取っ払ってアルミに変えたのだ！ さすがに奥さんから「そこまでする必要ある？」と聞かれたけど、とりあえず「ある」とだけ答えました。マグネット式のティッシュボックスが意外に役立ちます。

積みの告白

CONFESSION OF STACK

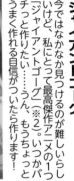

ジャイアントゴーグ

今ではなかなか見つけるのが難しいらしいけど、私にとって最高傑作アニメの1つ「ジャイアントゴーグ」（※2）。いつかバチっと作りたい……うん、もうちょっとうまく作れる自信がついたら作ります！

バイファムシリーズ

おそらくシリーズ全部ある。1/144バイファム（※3）に取り掛かったけど、半年以上放置中……。いや、完成させますよ！　マジで。全部作って並べたいなぁ。

インペリアルナイト

ウォーハンマー 40000（※4）にシリーズのインペリアルナイトです。これにハマってウォーハンマー好きになりました！　シタデルカラーを知ったのもその時。うん、レジでビックリした……「こんなにする？」って思わず言いました。でも一切後悔はしていません。だってカッコいいから！

用語解説

※1　スジボリ
元々あるパネルラインをさらに深く彫ったり、新たにパネルラインを彫ったりすること。ガンプラでは、必須ともいえるほど定番のディテールアップ技法のひとつ。

※2　ジャイアントゴーグ（巨神ゴーグ）
安彦良和が原作・監督などを手がけた日本サンライズ制作のアニメ作品。1984年4月からテレビ東京系で放送された。ストーリー性を重視した冒険物語的な作風で、ロボットアニメの中では異色の作品とされる。

※3　バイファム（銀河漂流バイファム）
神田武幸が原作・監督などを手がけた日本サンライズ制作のアニメ作品。1983年10月から毎日放送系列で放送された。子供たちだけで宇宙を漂流しながら、地球への帰還を目指す少年少女たちの過酷な旅と戦いを描いている。

※4　ウォーハンマー 40000
ゲームズワークショップから発売されたミニチュアゲームで、第6版までが発売されている。41千年紀という遠未来における銀河系のさまざまな惑星上で行われる局地戦を題材としている。

QTARO SUZUKI

鈴木Q太郎 副部長

部長から一言

■プロフィール

1974年8月14日生まれ。新潟県出身。身長173cm、体重73kg。血液型A型。2001年6月に松田洋昌とハイキングウォーキングを結成。コント、漫才、キャラ芸など、お笑いのジャンルは多様。プラモデル製作以外に、ジャグリングや中国ゴマ、コーラの一気飲みなどの特技を持つ。

部員名：鈴木Q太郎
ニックネーム：副部長、Qさん、Qちゃん
年齢：非公開
プラモ歴：約6年
初めてのキット：1／550 ビグロ（※1）
受賞歴：なし（無冠の帝王）

好きなプラモ工程：サフ吹き（※2）
おすすめキット：タミヤⅣ号戦車H型

「フザケたおしたボケ作品もよく作るが、実はめっちゃプラモ上手い。とくに戦車はプラモ部ナンバーワン！ でも生配信等で「今日はガッツリ作るよ！」と言った時は100％フリ。まず作らない」

60

MY STATUS 自己紹介コメント

吉本プラモデル部のスケールモデル担当だと自認しております。しかし実際には戦車とカーモデルのみで、船・バイク・飛行機については製作経験がありません……。また、私には部内における「風紀委員担当」という顔もあります。風紀を乱すと判断した部員に対しては、こちらが訴えられない程度に強めのLINEを送り付け、部内の秩序を保っております（笑）。

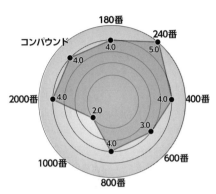

SCHEDULE OF A DAY 1日のスケジュール

仕事とプラモの時間はしっかり分けているので、仕事の合間にプラモはしません。長いプラモ人生で、自然とこういう習慣になったのですが、夜じゃないとプラモに携わることができなくなってしまいました……。つまり、仕事が完全オフの日で日中にたっぷり時間があったとしても、プラモに携わることができないのです……。夜しかプラモをしない私のことを、「ヴァンパイア・モデラー」と呼んでください。

模型人（おとこ）たちの作業場（せんじょう）

MAIN DESK メイン机

基本はここで作業をしています。ただし、あまりにも工具を広げ過ぎてしまったため、実際の作業スペースがほとんどなくなってしまっている……という問題があります。

GIRLS and PANZER GOODS

ガルパングッズ

毎日これらのグッズを眺めることで、モチベーションを上げています。私にとって大変重要なアイテムなのですが、グッズが増えるたびに妻から白い目で見られることに……。

PAINTING BOOTH

塗装ブース

大阪の「Hobby space 36」（※3）さんで購入した、最高の一品「36ブース（サルブース）」です。こちらを導入後に、私の塗装技術が各段にアップしたとか、しないとか……。

YouTubeチャンネルの視聴者さんからは、「散らかっている」などと言われていますが、私に言わせれば、ただ「物を置いているだけ」なのです。なので、この件に関しては「私と視聴者さんとの全面戦争である！」と思っています。また、私の断固としたこのスタンスより派生して、「自室の汚い部分を隠してYouTube撮影をしている部員」は、許さないつもりです！ちなみに、このソファーは大阪支部長アイバーの寝床でもあります。

SOFA ソファー

積みの告白

CONFESSION OF STACK

愛するダグラムたち

数あるロボットアニメの中で、私が一番好きなのが「太陽の牙ダグラム」（※4）です。作る予定がなくても、ついキットを買ってしまうのですが、別にそれが悪いとは思っていません。

カーモデル

最近のマイブームがこれですね。プラモデル部の企画で「頭文字D」を見たことがきっかけで、ハマってしまいました。今後もどんどん積まれていく予定です。

AFV（装甲戦闘車両）

自分としては、基本「AFVモデラー」（※5）であると思っています。しかし、積みが一向に減らないのです。いや、むしろ増えている。なぜだろう……。

用語解説

※1　ビグロ

「ガンダムシリーズ」に登場する兵器。有人操縦式の機動兵器「モビルアーマー（MA）」の一種で、ジオン公国軍の量産機。宇宙戦用に開発された最初のMAである。

※2　サフ吹き

プラモデルの塗装をする前に行う「下地塗料」である、サーフェイサーを塗る作業のこと。ガンプラでは必須の作業とも言える。塗料の食いつきを良くしたり、細かい傷を隠す効果もある。

※3　Hobby Space 36

東大阪市にある模型制作用レンタルスペース。同店が制作した「36ブース」は、業務用インラインファンを使用することで吸引力と静粛性を実現した、画期的な塗装ブース。

※4　太陽の牙ダグラム

テレビ東京系で1981年から1983年に放送されたアニメ作品。日本サンライズが制作し、高橋良輔のロボットアニメ初監督作品として知られる。

※5　AFV

装甲化され、攻撃兵器を備えた戦闘用の軍用車両の総称。戦車や歩兵戦闘車などはすべてこれに含まれる。プラモでは王道ジャンルのひとつ。

SATO PERIOD.

佐藤ピリオド.

■プロフィール

1984年3月25日生まれ。福岡県出身。身長168cm、体重65kg。血液型A型。NSC東京12期生。「御茶ノ水男子」としてコンビで活動後、2019年に解散し。ピン芸人として活躍中。元アニメーターという経歴を持ち、趣味は映画鑑賞。特技は排水管清掃、絵を描くこと。

部員名：佐藤ピリオド.
ニックネーム：ピリちゃん、ピリピリ
年齢：36歳（見た目は大人、頭脳は子供）
初めてのプラモキット：SDガンダムのドム（※1）

受賞歴：無

好きなプラモ工程：ヤスリがけ、筆塗り

オススメキット：ホライゾン　1/6スパイダーマン

部長から一言

「絵を描くのが好きなので、それを活かした作品が多い。普段にこやかだが、気性は荒いので批判コメントをいただくとすぐケンカしちゃうお茶目さん」

MY STATUS 自己紹介コメント

プラモデル部の営業担当（自称）。
こうじゃないとダメが大の苦手。
なので自由度が高い工作を好む。
アニメ塗り（イラスト塗り）
を少しずつ勉強中。
筆塗りとジオラマが好きな気
がする 36 歳（2020 年時）。

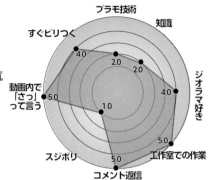

SCHEDULE OF A DAY 1日のスケジュール

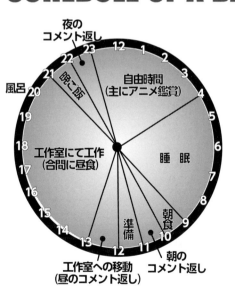

工作室に入ってからの集中力
はもの凄く、あっという間に
時間が過ぎてしまう。えっ？
もうこんな時間？という場面
がほとんど。たまに思ったよ
うに作業が進まないと早めに
お会計して逃亡することも。
コメント返しは全員正解と思
いながら戦っています。あな
たも正解だし俺も正解なは
ずってな感じで（笑）。自由時
間は男の子ってのも加味して
もらえると。

SATO PERIOD.

模型人たちの作業場

<ruby>男<rt>おとこ</rt></ruby>　<ruby>戦場<rt>せんじょう</rt></ruby>

UNIFORM 部員の正装兼作業着

部活が始まってユニフォーム1号がこちら。ポリキャップに至っては試作帽を含め7パターン程出てるが自分は1号を愛し続ける部員です。ポリキャップはもう形も崩れかけてますが愛し続けます。新しいの欲しくないの？　何を言ってるんですか？　愛し続けますよ……嘘です。ください。（笑）

FILES
ヤスリたち

私の大好きなヤスリがけの最強布陣です。ファーストアタックを金ヤスが仕掛け、その後 #400 の神ヤスが現場に到着し稼働します、追い討ちのように #600 が辺りを華麗に整える、するとどうでしょ。整地がそこにありますよね。

SPORTS DRINK
某スポーツ飲料水

集中力エグい時は水分を全く取らないんですね。そん時にブチ込むのがこちら！秋葉原工作室さんの一階に自販機あって、そこでは100円で480ml が飲めるんですよ！ゴキュゴキュいっちゃいます！1回工作室さん行った際には2、3本いっちゃいます！水分補給忘れずに！

STUDIO 撮影スタジオ

こちらが私が YouTube を撮る際の撮影風景です。工作室さんにある発泡スチロールをお借りしてカッター台を重りに iPad を置かせていただいてます。撮影が下手なので下手なりの知恵でごわす。もちろん、終わったらちゃんと机を綺麗にして帰っておりますよ。

積みの告白

CONFESSION OF STACK

視聴者からの
プレゼント

お世話になってる方から「いつもYouTube観てるよー！プラモデル部の大ファン！」って言ってもらい、これも良かったら動画にしてよーって頂いた一品。まだ作らない。とことん焦らして「いつ観れるのー！？」って言ってもらったら一緒に動画に出演して頂きたい。そう思っております（笑）

ヘキサギア

ヘキサギア（※2）のアーリーガバナー（※3）。こちらは積みプラとしてはすぐにも作品にしたい一品。色んな構想が浮かんできております。あのアニメの再現なんかいかがでしょ？楽しみでなりません。

サ◯スに支配された積みプラたち

こちらもサ◯スに支配されてしまいましたが、もう一度タイムリープしてサ◯スをヴィジョ◯やスパイダ◯マンと共闘し倒して、この積みプラタワーを奪い返して積みプラを製作しまくりたいです。積みプラの中にはフィギュアも多め。

用語解説

※1　ドム
『機動戦士ガンダム』に登場する、ジオン公国の局地戦用量産型モビルスーツ。ザクⅡと並ぶ名機の１つで、ジオン系地上戦用モビルスーツの集大成ともいえる機体である。

※2　ヘキサギア
コトブキヤが制作・販売しているブロックトイタイプのプラモデルシリーズ。スケールサイズは1/24で、スケールに合わせた「ガバナー」を搭載させることが可能。

※3　アーリーガバナー
第三世代ヘキサギアと共に現在の主流となったアーマータイプが存在しなかった頃、結晶炉による汚染が軽微であった時代の従来的な装備品を纏った"ガバナー最初期の姿"。

CHARLEY ITAGAKI

チャーリーいたがき

部長から一言

■プロフィール

1992年7月4日生まれ。新潟県出身。NSC東京20期。ドクターチャーリー、オルフェノクなどコンビでの活動を経て、現在はピン芸人として活躍中。吉本プラモデル部ではインパクト抜群の動画投稿で知られ、人一倍精力的に活動している。一番好きなガンダムのヒロインは、Gレコのアイーダ。

部員名：チャーリーいたがき
ニックネーム：チャーリー、チャリタム
年齢：28歳
プラモ歴：4年くらい
初めてのキット：1/144 ストライクガンダム（コレクションシリーズ）
受賞歴：ハハハ……（苦笑い）

好きなプラモ工程：合わせ目消し
おすすめキット：アスカモデルの1/35 シャーマン・ファイアフライ（※1）とフィギュアライズスタンダードのフリーザ

「プラモ部のアイドル的存在というか、キレンジャー的存在。入部以来どんどん太っているので、さすがに最近はデブキャラいじりを越えて、みんな心配し始めている」

MY STATUS 自己紹介コメント

プラモの技術を上げるため、女性への執念を捨て去って悟りを開いた解脱者。それが私です。捨てた執念が作品へと見事に昇華されているはずです（本人基準）。プラモ部に入ってから3回ほどコンビを解散しているので、コンビ名を名乗るのを諦めました……。「チャーリーいたがき」と名乗っていますが、同じ事務所の師匠に無許可でチャーリーと名乗っているため、いつ怒られるかわからない恐怖を抱えつつ、日々を生きています……。

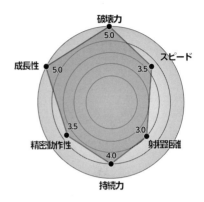

破壊力 5.0
スピード 3.5
射程距離 3.0
持続力 4.0
精密動作性 3.5
成長性 5.0

SCHEDULE OF A DAY 1日のスケジュール

プラモまたは動画編集
睡眠
ライブ（ない時はプラモや買い物）
バイト

非常に大まかな予定ですが、食事は合間を見てその都度食べているので、不規則なのです。プラモを作りながら動画を見たり、ネタを考えたりできるので、プラモの予定になっているところは色々な作業を兼ねていたりします。

前のバイト先では、自店舗、ヘルプ先お構いなしで休憩時間にプラモを作っていたので、「プラモを作ってる変な人」と呼ばれて有名になってしまいました(笑)。

またバイトがない日は模型店巡りをします。ブ○クオフに行って、「本ねーじゃん」より「プラモねーじゃん」となってしょんぼりすることが非常に多いです。

模型人（おとこ）たちの作業場（せんじょう）

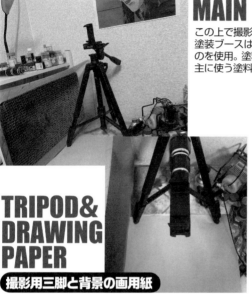

MAIN DESK メイン机

この上で撮影、工作、塗装をすべて行います。塗装ブースは副部長からおさがりで頂いたものを使用。塗料は大量に持っているのですが、主に使う塗料が机の上に散乱しております。

TRIPOD & DRAWING PAPER
撮影用三脚と背景の画用紙

作業工程をわかりやすく撮れるように最近、三脚と画用紙を導入。導入にあたり、ある方から助言を頂いた際に好きなガンダムを聞かれて「∀」（※2）と答えたらすごくディスられたので、この屈辱は死ぬまで忘れません……。

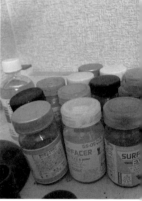

SURFACER
サーフェイサー等

下地としてよく使う塗料はテーブルの別枠に置いています。黒サフとシルバーサフを多用するので、減りが早い……。下地色と言いながら、このサフ単体でもかなりいい色をしているので、サフでフィニッシュしてしまうこともよくあります（特にガンメタ）。

CIMA GARAHAU

シーマ・ガラハウ（※3）

以前、アイバーさんと生配信を行った際に仕込みでシーマ様の画像を印刷したら、A4とA3を間違えてしまい、捨てるのも勿体ないと壁に貼りました。この画像を前に作業をしていると、急かされているような気がして、作業スピードが上がります。

積みの告白

CONFESSION OF STACK

★☆
★☆
★☆
★★☆
★☆

ダナジン

ガンダム AGE に登場するダナジンです。なかなか再販されずレアキットだったので、関東郊外の大型スーパーで見つけた際はものすごくテンションがあがりました。しかし購入した2日後に再販情報が出て、マジかよ……となったのは、いい思い出です。

1/35 カール自走臼砲（※4）

ある模型店で完成状態のカールが飾られていたのを見て、どうしても作りたくなって買いました。普段は自分の足で探して買いますが、このキットだけは見つけることができずに amazon しました。作るとしたらもちろん、ガルパン仕様です！

M4A1シャーマン
76mm搭載型
サンダース大学付属高校
アリサ頑張ってます

ガールズ＆パンツァー

ガルパン

ガルパンのサンダース大学付属高校のシャーマン。生配信にて大量の積み戦車を棚卸して、「しばらく財布の紐を閉めます！」と宣言した2日後に買ってしまいました……人間は欲望には勝てない。いい教訓です。この本が出版された頃は、さらに積み戦車が増えているはず。

用語解説

※1　シャーマン・ファイアフライ
イギリスが国産の対戦車砲をアメリカ製 M4 シャーマンに搭載した巡航戦車。ドイツの戦車エースであるミハエル・ヴィットマンのティーガーを撃破した戦車として有名。

※2　∀（ターンエーガンダム）
「過去の文明の産物が失われて長い年月が経過した地球が舞台」という、それまでのガンダムとは大きくかけ離れた独自性の強い世界観で描かれた。フジテレビ系列で放送された唯一のガンダムの TV シリーズ。

※3　シーマ・ガラハウ
OVA『機動戦士ガンダム 0083 STARDUST MEMORY』の登場人物。ジオン公国軍突撃機動軍所属の女性将校。性格は大胆不敵で、非常に好戦的。パイロットとしても優秀。

※4　カール自走臼砲
第二次世界大戦時にドイツで開発された超大口径の臼砲を搭載する自走砲。その名は開発に携わったカール・ベッカー将軍に因んでいる。

OSAMU WAKAI

若井おさむ

■プロフィール

1973年1月9日生まれ。京都府出身。身長 174.2cm、体重70kg。血液型O型。NSC大阪24期。漫才コンビ「はちみつメロン」を経て、2003年にピン芸人としてデビュー。ガンダム芸人として知られ、主人公アムロ・レイのモノマネで有名。趣味はプラモ製作のほか、ガンダムグッズ収集とキックボクシング。特技は料理とギター。

部員名：若井おさむ
ニックネーム：おさちゃん
年齢：47歳
プラモ歴：初プラモは6歳の時
初めてのキット：ビッグワンガム（※1）
受賞歴：なし

好きなプラモ工程：箱を開ける瞬間
おすすめキット：旧キット1/144　ガンダム（※2）

部長から一言

「ガンプラが好きというか、ガンダムが好き。というか、ガンダムを中心に生きている。というか偽アムロ。酒を飲むと記憶を失くすニュータイプ」

MY STATUS 自己紹介コメント

私がそもそも機動戦士ガンダムを
知ったのは、ガンプラがきっかけ
でした。あれから40年の時を経て
いますが、現在の僕はガンダ
ムによって生かされていると
言っても過言ではありません
……いや、「ガンプラによって
生かされている」と言うべき
なのかもしれません。

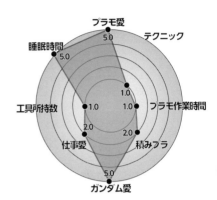

SCHEDULE OF A DAY 1日のスケジュール

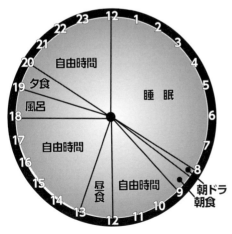

仕事がオフの日のスケジュー
ルはだいたいこんな感じです。
自由時間が長めなのですが、
いつ敵が攻めてきてもいいよ
うにトレーニングをするのが
主体です。さらにガンダムの
整備にあてて、残りの時間で
プラモを楽しむ感じになって
います。
睡眠時間はたっぷり8時間が基
本ですね。食事も毎日3回しっ
かり採りますし、風呂もなる
べくゆっくり浸かるようにし
ています。

模型人たちの作業場

TOOL （工具類）

こうして見ると工具をたくさん持っているように見えるかもしれませんが、全然多くないです。ただ、工具類を眺めているのも結構好きです。工具を眺めていて、プラモを作っているような気分に浸れるのがいいですね。

AIR BRUSH （エアブラシ）

このアネスト岩田（※3）のスプリントジェットは、数年前から家にあるのですが未だに一度も使ったことがありません……。完全に宝の持ち腐れになっていますが、近日ついに使用予定です。

PAINT （塗料）

塗料はついつい増えてしまうのですが、無駄に買ってしまうことも多いのです。一度も使っていない塗料も結構あります……。

積みの告白

CONFESSION OF STACK

★☆
★★
★☆
★☆
★☆

私の場合、積みプラはほかの部員さんに比べて少ないほうだと思います。買ったものはすぐ作って、作り終わったら箱は整理するため、「積みタワー」と呼べるほどのものはないのです……。ご覧のように、親戚のお兄さんの実家においてあるこの程度の数しかありません……。

WORK DESK

作業机

プラモを作るときは、この折り畳みの作業机を使っています。これは20年くらい前にタイで購入したものです。

用語解説

※1　ビッグワンガム
1978年よりカバヤ食品が販売したプラモデルキット食玩のシリーズ。おまけのプラモデルの精巧さで人気を博し、スケールモデル食玩のレベルアップに貢献した。自動車、戦闘機、戦艦、空母など多様なシリーズがあった。

※2　旧キット　1/144　ガンダム
いわゆる「ファーストガンダム」の旧キット「1/144 RX-78-2 ガンダム」のこと。当時は単色成形でホイルシールも付属していなかっ

た。武器は「ビーム・サーベル4本」「ビーム・ライフル」「シールド」の3種類が付属。

※3　アネスト岩田
横浜市港北区に本社を置き、各種の空気圧縮機（コンプレッサ）をはじめ、真空機器や塗装機器などのメーカーとして知られる。創業から90年以上の歴史があり、海外20カ国以上に30以上の拠点を配置しグローバルに展開している。

横山きよし

■プロフィール

1979年7月21日生まれ。埼玉県出身。NSC 東京6期。2006年1月に吉田サラダと「ものいい」を結成。身長 178cm、体重48kg。血液型B型。痩せていることから中学時代のあだ名は「枯れ木」。特技はイラストで、似顔絵は10秒で描ける。レタリング技能検定3級の資格あり。

部員名：横山きよし
ニックネーム：ジオラマおじさん
年齢：41歳
プラモ歴：出戻り
　　　　　（初プラモは4〜5歳。就職して2年間モデラー）
初めてのキット：旧キット　1/144 ジム（※1）
受賞歴：GBWC2016 ファイナリスト

好きなプラモ工程：ウェザリング（※2）
おすすめキット：ミニアート（※3）の小物

部長から一言

「ジオラマおじさん。情景模型をこよなく愛し、工作、塗装、どれをとってもめちゃくちゃ上手いが、モチベーションのコントロールだけは下手。急に全く作らなくなったりする」

MY STATUS 自己紹介コメント

高校を卒業して私が就職したのが、東京モーターショーなどに出展される実寸大のモデルを製作する会社で、当時はモデラーを経験しました。もともとプラモ製作が好きだったのですが、いつしかジオラマのほうにハマってしまい、今や作りたいジオラマからキットを選ぶという逆転現象になってしまっています……。ちょっと製作のやる気スイッチを見失いがちですね。

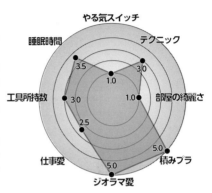

やる気スイッチ
テクニック
睡眠時間
3.5
1.0
3.0
工具所持数
1.0
部屋の綺麗さ
3.0
2.5
5.0
仕事愛
積みプラ
5.0
ジオラマ愛

SCHEDULE OF A DAY 1日のスケジュール

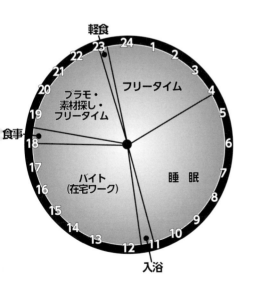

軽食
フリータイム
プラモ・素材探し・フリータイム
食事
バイト（在宅ワーク）
睡眠
入浴

決まったスケジュールに沿って行動するタイプではないので、基本は不定なのですが、だいたいはこんな感じです。食事が1回しかありませんが、1日1食くらいしか食べないのです。一度やる気スイッチが入るとものすごく集中するので、時間に関係なく作業してしまいます。あまり入らないのが難点ですが……。

模型人<ruby>男<rt>おとこ</rt></ruby>たちの作業<ruby>場<rt>せんじょう</rt></ruby>

MAIN DESK メイン机

おもにここで製作をしています。ブース前の狭いスペースで作るため、大きいものは床で作業することも。大きめの机が欲しいですが、部屋に置くのが厳しい状況。あ、ちゃんと整理整頓すれば使い勝手がよくなることはわかっています……。

CAN SPRAY

缶スプレー

缶スプレーの収納場所ですが、こちらも机から離れています。もうパンパンで、棚にも置いています。ジオラマの小物や壁などをベランダに出て、缶スプレーで塗ってます。

DIORAMA MATERIAL

ジオラマ素材

PAINTING STORAGE

塗料収納

机から離れたところに塗料などが入った引き出しがあります。いちいち立って取りに戻るのが面倒です。机の近くに移動できれば効率的ですが、スペース問題により現状こんな感じです。

ジオラマの草や木に使う物、砂や砂利、土などを保管している箱。模型店や100均で購入しては収納し、今では箱に収まらなくなっています。

積みの告白

CONFESSION OF STACK

★☆
★☆
★☆
★☆
★☆

隠れプラモ

積みタワー以外にも、部屋のあちこちにプラモが隠れています。「隠れている」というか、堂々と積み上げていますね……。

押入れの天袋

天袋にもプラモ関連のものがどっさりあります。ここにある箱は製作後の空き箱で、中には、ジャンクパーツなどが入っています。

ジオラマ用小物

積みタワーの一部です。こちらは、ほぼ MiniArt・MASTER　BOX の 1/35 とタミヤの 1/48 のジオラマ用の小物たちですね。

用語解説

※1　ジム

「ガンダムシリーズ」で、宇宙世紀を舞台とする作品に登場するモビルスーツの1種。地球連邦軍の量産型MSで、ガンキャノンのようなゴーグル状カバーに覆われた頭部カメラ・アイが特徴。

※2　ウェザリング

いわゆる「汚し塗装」のこと。あえて砂汚れやサビ、日焼けなどを表現したり、傷跡や弾痕などのダメージ表現をすることでリアルに見せるという塗装テクニック。

※3　ミニアート

2001年創業のウクライナのモデルメーカー、ミニアートモデルズのこと。ミリタリーシリーズ、ジオラマシリーズをはじめ、歴史人物など多彩なラインナップを展開。最新の金型技術を駆使したリアルな造形に定評がある。

SE-MARU

せーまる 福岡支部長

部長から一言

■プロフィール

NSC福岡校に3期生として在学中。芸人デビューを果たした際に吉本プラモデル部に入部するつもりだったが、本人曰く「青天の霹靂」で20年8月に部員として入部を認められ、さらに福岡支部長にも任命された。吉本プラモデル部の動画では、純粋なプラモ愛と落ち着いたリポートぶりでファンに好評。

部員名：せーまる
ニックネーム：「せーまるちゃん」と「せーちゃん」
年齢：42歳
プラモ歴：出戻り4年目
初めてのキット：食玩（100円で売っていた記憶）
受賞歴：なし（友人や甥っ子に見せて喜ばれます）

好きなプラモ工程：工作や塗装後に組み上げていく時
おすすめキット：MG プロヴィデンスガンダム（※1）

「吉本プラモデル部福岡支部長。アイバーと同じく一人支部長。現在まだ芸人でもなくNSC在学中だがすっかりおじさん。プラモの腕はしっかりしているので視聴者さんから「普通のおじさん」と言われている。私もそう思う」

MY STATUS

自己紹介コメント

2歳保育園の頃
食玩の車やロボットを作る。

8歳
お年玉で初のガンプラ旧キット1/100ZZガンダム（※2）を作る。

15歳
缶スプレーや筆塗りを始める。

23歳
職場のガンダム好きな仲間と作った作品を見せあいっこする。
この時にエアブラシを使い始める。
1カ月に一体のペースで2年ほど楽しむ。

25歳
この頃から仕事がハードになりプラモから離れる。

39歳
YouTubeで製作動画を見ているうちに作りたい衝動が沸き今に至る。

42歳
吉本プラモデル部福岡支部長に就任。

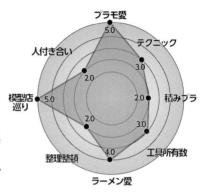

プラモ愛 5.0
テクニック 3.0
積みプラ 2.0
工具所有数 3.0
ラーメン愛 4.0
整理整頓 2.0
模型店巡り 5.0
人付き合い 2.0

SCHEDULE OF A DAY

1日のスケジュール

プラモ・読書・YouTube鑑賞
睡眠
朝食
プラモ
模型店＆本屋巡り
プラモ
夕食
風呂

このスケジュールは休日のものです。模型店、本屋巡りは特に買うものを決めていなくてもよく行きます。そこで購買意欲が沸き散財することもしばしば……。「工具もプラモも本も一期一会だっ！」と思っちゃう性分ですね。自宅に戻ってからは、買った工具やプラモを開封して楽しみます。夜は優雅にコーヒーを飲みながらプラモ作り。疲れたらベッドにごろんとYouTube視聴。回復後にまたプラモをやっております。

SE-MARU

模型人たちの作業場

MAIN DESK メイン机

メインで使用する工具はスタンドに収納。デスクライトを左右に設置して明るさはバッチリ！ ただ、作業スペースが狭いのが難点です。

AIR BRUSH
エアブラシ

エアブラシは、それぞれの用途にあわせ、0.5mm径、0.3mm径、0.18mm径を所持し、使い分けております。

GOKAN BOOTH

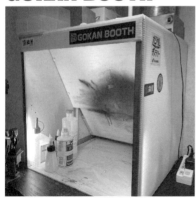

TENSION SHELF
突っ張り棚

この突っ張り棒による壁収納はかなり良いです。ここにはよく使用する塗料やヤスリ類を収納箱に入れ置いています。下段には同じ幅の棚を置き、コンプレッサー、リューター、音波洗浄機などを収納しています。

互換ブース（※3）

この子が家に来てからは、本当に塗装が楽しくなりました。ストレスフリーです。吸いますよ！

積みの告白

CONFESSION OF STACK

キャラクター系モデル

ガンダムも好きですが、「ドラゴンボール」や「仮面ライダー」関連などのキャラクターモデルも結構好きで、買っちゃいますね。あと、バイクも好きです。

雑多ジャンルな積みモデル

宇宙が好きなので、1/10 ISS 船外活動用宇宙服（※4）のプラモをつい買っちゃいました。プレステやセガサターン、アメリカザリガニなどは「こんなプラモがあるんや」と、感激して購入。だけど、カップヌードルは、間違えてポチっちゃったものです……。

用語解説

※1　プロヴィデンスガンダム

『機動戦士ガンダム SEED』に登場するモビルスーツ。同作におけるラスボスに位置する機体。わずか 2 話しか登場しなかったものの、機体デザインのインパクトの強さと、フリーダムに敗れたとはいえ圧倒的な性能から人気の高い MS のひとつ。

※2　ZZガンダム（ダブルゼータガンダム）

アナハイム・エレクトロニクス社が開発したエゥーゴの可変合体試作モビルスーツ。同組織の傑作機Zガンダムの直系発展型として開発され、当初の開発コードは「θ（シータ）ガンダム」だったが、「Zガンダムを超えるガンダム」と言う意味合いで「ZZガンダム」と名付けられた。

※3　互換ブース

「互換屋」が開発、製造、販売している卓上の換気扇。室内での模型塗装過程で臭気や塗料の飛散顔料などを強力に吸塵して室外へ排気できる。モデラー御用達の人気商品のため、非常に品薄である。

※4　1/10 ISS 船外活動用宇宙服

バンダイが 2011 年に発売。国際宇宙ステーションで活躍する最小の宇宙船 ISS 船外活動用宇宙服を 1/10 スケールで精密にモデル化したもの。

NORIHIRO URAI

浦井のりひろ

部長から一言

■プロフィール

1987年12月3日生まれ。京都府出身。身長175cm、体重65kg。血液型B型。NSC大阪33期。2011年に平井まさあきと男性ブランコを結成。2017年に大阪から東京へ拠点を移す。趣味はガンプラ作りに加えておもちゃ収集と映画鑑賞。特技は空手の型、アカペラのベースパート、ガンダム、ライダー、戦隊の名前をすぐ言えること。

部員名：浦井のりひろ
ニックネーム：実直浦井 (元見習い)
年齢：32 歳
プラモ歴：25 年
初めてのキット：1/144 シャイターン (※1)
受賞歴：なし

好きなプラモ工程：塗装
おすすめキット：HGCE デスティニーガンダム (※2)、
MG ウイングガンダム (※3) ver.ka、PG ガンダムアストレイ (※4)

吉本プラモデル部最高ボイスを持つ男！彼の声で癒されるという視聴者も多いだろう！そして、彼の声で眠くなってしまうという視聴者はもっと多いだろう！
プラモの作風は「実直」！
プラモの作品から「実直さ」を滲み出させることの出来るモデラーは彼の他にはなかなかいないのではないだろうか！？
彼を一言にまとめると「実直イケボスライディー」

MY STATUS 自己紹介コメント

元見習いの実直部員。大阪でお笑い活動をしていましたが、上京して同期の紹介で入部。当初は部長の「どんなに頑張っても見習い」ノリにより2年ほどプラモ部唯一の見習いを続けて、2019年末に無事に昇格しました。およそ芸人らしからぬ低い声で喋る動画を上げ続けています。基本に忠実な実直工作を信条とし、ガンプラのほか、スーパー戦隊のミニプラも好きです。

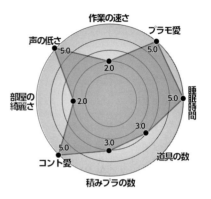

SCHEDULE OF A DAY 1日のスケジュール

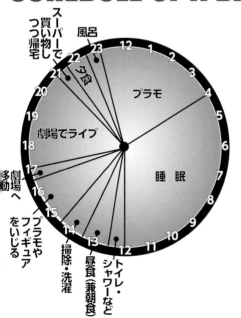

仕事は劇場でのライブがメインです。ライブが夜に多いため、作業は主に深夜。「夜すごく眠い期」と「朝まで余裕で作業できます期」が交互にきてますが、どちらの期でも8時間は寝ています。フィギュアや食玩なども買うので、ついついそれだけをいじって終わる日も。定期的にコンビで単独ライブをやるため「これが終わったらあのキットを組むんだ……」と思いながら小道具を作ったり、セリフを覚える毎日です。

NORIHIRO URAI

模型人たちの作業場

おとこ せんじょう

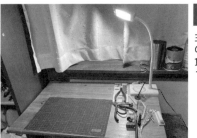

MAIN DESK メイン机

主にここで作業しています。日々の食事もこの机でするため、毎回片付けないと畳の上で食事することになりますが、結構な確率でそうなっています……。

TOOL BOX
道具箱

100均のボックスにほとんどの道具を入れています。いざという時に持ち運んで出先で作業できるようにしていますが、そこまで遠出するほどの予定はほとんど入りません……。

PAINTING BOOTH
塗装ブース

今年買ったタミヤのシングルファンペインティングブース。初めて使った時は感動して声が出ました。メイン机にこれを置いて作業します。

SHOOTING BOOTH

撮影ブース

動画のコメントで「背景が残念」と言われ、即通販で購入した撮影ブース。最近は組み立てたプラモやフィギュアをこれで撮影するのがちょっとした楽しみです。

CONFESSION OF STACK

積みの告白

謎の棚

古い一軒家の和室を借りて住んでいるのですが、
そこにあった謎の棚にプラモを積んでいます。
謎の棚があってよかった。

ターンX

ターンXをターンAと並べたくて
買ったものの、頭部を少し弄って
ストップしています……。HGが
出る前に仕上げるぞ！

魔境

ふすまの中はもう「魔境」ですね。
組んだもの、途中のもの、全く手
をつけていないものが混在してい
ます。定期的にひっくり返しては
昔の物で遊んでいます。

用語解説

※1　シャイターン
『機動戦士Vガンダム』に登場するザンスカー
ル帝国のモビルスーツ。遠距離での迎撃を目的
として開発された機体。執拗な武装がなされ、
その火力は戦艦に匹敵するとも言われる。

※2　デスティニーガンダム
『機動戦士ガンダム SEEDDESTINY』に登場
するモビルスーツ。インパルスガンダムのシ
ルエットバリエーションの一つ「デスティニー
インパルス」の延長線上として開発された機体。

※3　ウイングガンダム
『新機動戦記ガンダムW』に登場するモビルスー
ツ。鳥のような航空機に変形する可変タイプで、
ＴＶ本編中で唯一大破壊されており、歴代の主
役ガンダムの中でも最も不遇な扱いを受けた機
体。

※4　ガンダムアストレイ
機動戦士ガンダム SEED の公式外伝『機動戦
士ガンダム SEED ASTRAY』の通称。また、
作中に登場するモビルスーツ「ガンダムアスト
レイ」の総称。

アイバー 大阪支部長

AIBA-

部長から一言

■プロフィール

元芸人で現在はYouTuberとして活動。1名しかいないが吉本プラモデル部大阪支部の支部長を務める。ガンプラなどのキャラクターモデルを中心に、食玩やフィギュアに至るまで幅広い分野を好む。食費を切り詰めて買うほど熱を入れ、「命を削って趣味を満喫している」とのこと。ガンプラは HG（※1）を中心に MG（※2）、RG（リアルグレード・※3）、SDや旧キットが好み。

部員名：アイバー
ニックネーム：大阪支部長、アイバー
年齢：永遠の35歳
プラモ歴：初プラモは6歳（芸人貧乏期は休止）
初めてのキット：BB戦士 SD ガンダム（※4）
受賞歴：高島市立新旭北学校皆勤賞（多分）
好きなプラモ工程：脳内モデリング
おすすめキット：HG　RX-78-2　ガンダム
　　　　　　　　　Ver.30th.

「吉本プラモデル部大阪支部長。まあ、大阪支部は彼だけなのですが。やたらキットの情報に詳しい。「キュベレイ」のイントネーションがみんなと違う」

MY STATUS 自己紹介コメント

芸人を辞めて YouTuber を始めた頃に、ちょうど大阪の部員を探していた哲夫部長と出会って入部しました。大阪支部長を拝命して3年になりますが、未だに大阪部員は私1名です……。ガンプラ大好きで、ガンプラの話をすると止まりませんが、作業の手は止まります……。ゆえに製作ペースが遅いのが現在の悩みです。
「キュベレイ」の発音がおかしいと言われますが、当初はただの関西訛りだろうと思っていました。しかし、関西の視聴者の方からも同じ指摘を受けるに及び、どうやら世界で私ひとりだけの訛りだと思われます……。

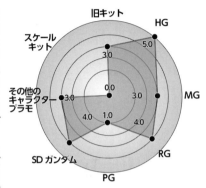

SCHEDULE OF A DAY 1日のスケジュール

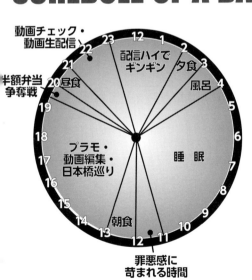

まったく家から出ない日も多いです。プラモが積まれて狭くなった部屋に連日ひきこもるのはよくないと思い、外に出ても結局足はプラモ屋に向かうので、結局はまたプラモを買って積みが増えることになります……。

YouTuber のため、撮影しながら製作をするのですが、延々と続くヤスリがけ作業のチェックで無駄に時間を使うことが多いです……。そういう場面はだいたいカットになるので……。また、目覚めの罪悪感の時間とは、人が働いている時に自分だけ布団でゴロゴロしていることに対する罪の意識です……。

AIBA-
模型人たちの作業場
おとこ　　　　　　　　せんじょう

MAIN DESK
メイン机

最近購入した、会議で使うような長机。工作、撮影、編集、配信から食事に至るまで、多くの作業をこの机で行います。工程ごとに掃除と工具等の配置換えを行うため、非常に効率が悪いです……。

PAINTING DESK
塗装机

IKEAの廃材コーナーで見つけたタンスの側床に脚を取り付けたもの。以前はこれがメイン机で、生活のすべてをこの上で行っていました。現在は塗装専用ですが、無数の傷が戦いの歴史を物語っています。

PAINTING BOOTH
塗装ブース

タミヤのスプレーワークペインティングブースⅡ（※5）を使用。塗装机にシンデレラフィットしています。下に敷いてあるのは、日本橋のお店 NT-BASEさんに教えてもらったペットシート。ちなみにコンプレッサーは、waveさんのコンプレッサー217。部長に買ってもらったエアテックスさんのAir-K。

積みの告白

CONFESSION OF STOCK

BEYOND THE 積みプラ

積みプラの向こう側にある物たち。積みが部屋の
キャパを超えたとき、少しでも体積を減らすために
仮組みまで済ませてこの場所に移動します。サーベ
ル等細かいパーツにはちゃんと厚紙をあてているの
で安心。しかし、ちゃんと組み切れるかは心配……。
ちなみに、ここのキャパを超えた場合は、ダンボー
ルに詰められて実家に送られます。

EXCEPT
ガンプラ

昔からカッコいいプラモ
が大好きでしたが、最近
は、このような「カッコ
いい」と「可愛い」を兼
ね備えた最強のジャンル
が誕生してしまったの
で、困っています……。

用語解説

※1　HG
HG は、ハイグレードの略。1/144 スケール
でガンプラのスタンダードと呼べるブランド。
商品のラインアップが最も豊富。

※2　MG
MG は、マスターグレードの略。精巧な内部フ
レームを核として、ベストプロポーションと
自由自在な可動ギミックを追求。止まらない
ガンプラの進化を体現するブランド。

※3　RG
RG は、リアルグレードの略。「本物であること」
を追求し、緻密なパーツ構成や質感表現を実現。
モビルスーツを作る楽しみと興奮を 1/144 ス
ケールに凝縮したブランド。

※4　BB戦士 SD ガンダム
デフォルメされたその姿は、可愛さとカッコよ
さを合わせ持つ。手頃な値段ながら、合体や可
動ギミックも楽しいブランド。

※5　スプレーワーク ペインティングブースⅡ
手軽なシングルファン仕様で室内での吹き付け
塗装にうれしいタミヤ製の定番塗装ブース。迷
彩塗装やつや消し塗装など、塗料の噴射量が比
較的少ない作業に適している。

SODOMU

■プロフィール

1986年11月3日生まれ。徳島県出身。NSC 東京14期生でピン芸人として活躍したが、2017年に芸人を引退し、両親が経営するおもちゃメーカー「サンタ」の社員となる。引退後も吉本プラモデル部員としての活動は継続中。特技はイラストとマラソン。

部員名：ソドム
ニックネーム：ドムさん
年齢：34 歳
プラモ歴：27 年
初めてのキット：キャプテンガンダム V
　　　　　　　　（元祖 SD ガンダム・※1）
受賞歴：GBWC2016、2017 ファイナリスト

好きなプラモ工程：メタリック塗装
おすすめキット：ゼロファントス（※2）
　　　　　　　　（ゾイドワイルド ZERO）

部長から一言

「ゆう太と同じく吉本プラモデル部は続けているが芸人は引退。実家が玩具メーカーというサラブレッドだけあって模型センスは抜群。顔はジュドー・アーシタに似ている」

MY STATUS　自己紹介コメント

吉本の元ピン芸人です。芸人時代は舞台を中心に活動していましたが、ある日てつおプライムをはじめとするプラモ部のメンバーと出会い、1人でプラモをしていた時には知り得なかったプラモデルの魅力と奥深さを知ることとなりました。

プラモデル部に入部後、プラモに没頭するあまり本業であるネタ作りを一切しなくなり、ついには芸人引退と相成りました。

現在は実家である玩具メーカーに社員として勤務。プラモ製作で培った塗装や工作スキルを仕事に発揮しております！

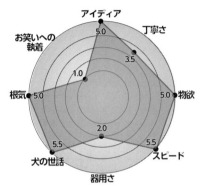

- アイディア　5.0
- 丁寧さ　3.5
- 物欲　5.0
- スピード　5.5
- 器用さ　5.5
- 犬の世話　5.5
- 根気　5.0
- お笑いへの執着　1.0

SCHEDULE OF A DAY　1日のスケジュール

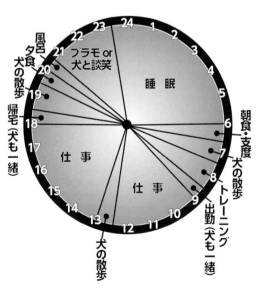

睡眠

仕事

仕事

- プラモ or 犬と談笑
- 風呂
- 夕食
- 犬の散歩
- 帰宅（犬も一緒）
- 朝食・支度
- 犬の散歩
- トレーニング
- 出勤（犬も一緒）
- 犬の散歩

スケジュール上は、それほどプラモに触れていないように思われそうですが、玩具メーカーの社員なので、新作玩具のデコマス（色見本・※3）や試作品の製作（フルスクラッチ・※4）などは日々こなしています。そのためか、以前より技術は向上していますね（そうあってほしい……）。また、仕事中に自分の趣味プラモを作ることも多々あり……。最近、職場の同僚の息子さん（小学3年）をモデラー仲間にしようと目論み、プラモを頻繁にプレゼントしています。

SODOMU

模型人たちの作業場

MAIN DESK メイン机

いつもはもっと散らかっていますが、撮影用に少し片付けました。SNSで見かけたモデラー仲間のおすすめツールはすぐに購入して試す派。お気に入りは「ザル」です。パーツの洗浄時や一時保管場所には優れていますが、SNS映えはしません……。

DRAWER
引き出し

ピンバイスセットの3mmのピンバイスを紛失しています。なお、吉本プラモデル部ライブの優勝賞品として部長から頂いた「アルティメットカッター」は仕事でも趣味でも大活躍！

PAINTING BOOTH
塗装ブース

手造りの換気扇直結型塗装ブースで、通称「ドムブース」（ソドムのドム）です。マークⅠは僕が製作しその運用データを元に同僚が作り直したこちらがマークⅡ。みすぼらしい外観とは裏腹に強力なパワーで換気します。換気扇の外側にハトが巣を作り、たまに卵が落ちてきます。

DOG 愛犬リク

妹から預かっている柴犬のリク。塗装の乾き待ちや焦って作業ミスを連発したときに触れあうと和みます。プラモの塗装面にリクの毛が付着していることが多々あり……。

積みの告白

CONFESSION OF STACK

テクニック

空間をムダにすることなく、このようにS字フックを活用するなどして立体的にディスプレーしています。理想の積みプラ部屋への意識が高いため、このようなテクニックもお手の物です。

老舗おもちゃ屋風

積みプラは、単に積み上げることはせず、「老舗おもちゃ屋」風に陳列することが私のこだわりです。プラモ以外に、完成品フィギュアなどを一緒に陳列するのもそんなこだわりからです。

この積みプラ部屋は、湿気の多い季節にはカビ対策が必須のため、換気が極めて重要になります。

ここを訪れた人が、一歩入ると現実を忘れるような、そんなノスタルジックな思いに浸れる、老舗おもちゃ屋風の積みプラ部屋を完成させるべく、今日もまた積み（罪）を重ねる私です……。

用語解説

※1　元祖SDガンダム

1988年に『機動戦士ガンダム逆襲のシャア』と同時上映された『機動戦士SDガンダム』に合わせて『SDガンダム』のブランド化を担った商品。『BB戦士』が『SDガンダムBB戦士』と改題したのに対し、差別化する形で『元祖SDガンダム』と呼ばれる。

※2　ゼロファントス

玩具・アニメシリーズ『ゾイド』に登場する金属生命体の一種。人類未到の地、地下神殿エリアから突如出現したゾウ種のゾイドで、進化ゾイドや兵器ゾイドのどちらにも属さない謎の存在。

※3　デコマス

「デコレーションマスター」の略で、工場彩色見本のこと。工場で「この通りに塗装して下さい」と注文する時に見せる。工場用と自分たち用の2つのデコマスを用意するメーカーもあるらしい。

※4　フルスクラッチ

粘土やプラスチック板などの素材から模型を組み立てること。「ゼロから作り上げる」という意味合いから、自前でシステムをゼロから構築するというIT用語に転化。模型用語がIT用語になってしまった貴重な例。

ゆう太

YUTA

■プロフィール

1982年7月7日生まれ。神奈川県出身。身長173cm、体重52kg。血液型B型。NSC東京11期。弟と漫才コンビ「ゆう太だい介」を組んで活動していたが、2016年にコンビを解散して芸人を引退した。抱いて眠るほどのプラモ好き。天然キャラとしても知られる。

部員名：ゆう太
ニックネーム：ゆう太
年齢：38歳
プラモ歴：小学生〜中学2年／30歳〜現在
初めてのキット：SDガンダム
受賞歴：なし

好きなプラモ工程：サフ（合わせ目が消えた瞬間）
おすすめキット：MGズゴック（※1）
　　　　　　　　フィギュアライズスタンダード

部長から一言

「吉本プラモデル部は続けているが、芸人はすでに引退。明るく素直で真面目、誰からも愛される存在だが、たぶんだいぶ天然。現在の職場の方々にもお会いしたが、そこでも同じように言われている」

MY STATUS 自己紹介コメント

幼少期からプラモデルやおもちゃが大好き。大人になっても変わらずでしたね。

ただ、プラモデルを作る楽しさを知ったのは大人になってからです。

プラモデル部ができる前から、部長のお宅で哲夫さんとQ太郎さんと朝まで一緒にプラモして遊んでもらっていました。みんなでしゃべりながら作ったり、歌ったり、そんな無心で遊べるプラモデルが楽しすぎて、僕なりのプラモライフがスタートしたのです！

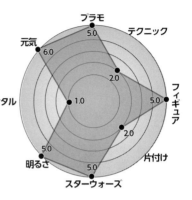

プラモ　5.0
テクニック
元気　6.0
2.0
フィギュア　5.0
メンタル　1.0
2.0
片付け
5.0
5.0
明るさ
スターウォーズ　5.0

SCHEDULE OF A DAY 1日のスケジュール

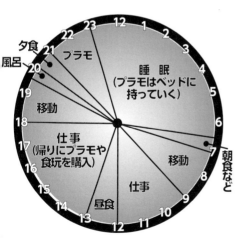

12 1 2 3 4 5 6 7 8 9 10 11 12 13 14 15 16 17 18 19 20 21 22 23

夕食　風呂　プラモ　睡眠（プラモはベッドに持っていく）　移動　仕事（帰りにプラモや食玩を購入）　昼食　仕事　移動　朝食など

平日の昼間は仕事があるので、プラモタイムはだいたい1〜2時間くらいです。そのため、平日は夜にちょこちょこっとやっています（吉本プラモデル部の動画を見ながら）。その時間がとても楽しいです！

連休が近くなると、おもいっきりプラモをやれるので、「何を作ろうかなー！」とか、1週間くらい前から計画し、プラモや塗料を探しに行くなど、ワクワクしますね。この時間も大好きです。いつか、部員同士で旅行に行って、プラモして遊べたら最高ですよね！

YUTA
模型人たちの作業場

おとこ せんじょう

TABLE テーブル

作業にはリビングのテーブルを使います。普通にご飯を食べるテーブルなので、工具類は作業終了後にすぐお片付け。そのため、パッと片付けられる工具箱やダンボールが必須です。すぐ横の食器棚には、お気に入りのプラモやフィギュアたちが並び、とても落ち着きます。

PAINTING BOOTH
塗装ブース

なんと！ 哲夫部長からプレゼントしていただきました。初めてエアブラシで塗装したのはHGグフカス（※2）。涙ぐむほど嬉しかったです！ ブースベースが汚れているように見えますが、僕の中では思い出の跡であり、グフカスの水色もまだ残っています。

PAINTING SPACE
塗装スペース

塗装するのもリビングです。机が低くて椅子も小さいです。床を塗料で汚してしまうので、奥さんがマットを敷いてくれました。

シタデルカラー（※3）や缶サフ、溶剤はブースの上に……なので、いつかは自分のプラモ部屋を作って、きちんと並べられるようにしたいです。片付けがヘタなので……。

PAINT CASEED 塗料入れ

積みの告白

CONFESSION OF STACK

★☆
★☆
★☆
★☆
★☆

RGエヴァンゲリオン初号機 (※4)

ハイクオリティなプラモデルのシリーズ RG (リアルグレード)のエヴァンゲリオン初号機。実は、この月は出費が重なり、購入するかどうか迷っていましたが、迷っている間に買っちゃっていました……。

MAZDA RX-7

これは本当に不思議な体験で、吉本プラモデル部の動画企画「頭文字 Q」を観ていたら、気づくともう店にいて会計していました……。カーモデルは初なので、勝手に緊張しています。

ケロロロボ　Mk-Ⅱ

「ケロロ軍曹」が大好きなので、プラモデルはついつい買っちゃいます。お手頃価格で集めやすく、大好きなシリーズ。ギミックも可愛くて面白いので、作った後に遊ぶのが楽しいプラモです。

用語解説

※1　ズゴック

ジオン公国軍の水陸両用モビルスーツ。モビルアーマー (MA) を多く開発した MIP 社の開発による唯一の MS で、ツィマッド社のゴッグと同時に開発された。赤く塗装されたシャア・アズナブル専用機が有名。

※2　HG グフカス

正しくは「HGUC グフカスタム」。『機動戦士ガンダム 第 08MS 小隊』に登場するグフの後期生産型。「グフカスタム」とはウィングゼロカスタムと同じくプラモの商品名が由来する名称。劇中での１対６という状況で相手を完全に手玉にとる活躍ぶりが印象的。

※3　シタデルカラー

イギリスのゲーム製作会社ゲームズワークショップが販売するホビー用塗料。自社ブランドの製品「シタデルミニチュア」(「ザ・ロード・オブ・ザ・リング」ゲームのミニチュア等) のために開発された。

※4　エヴァンゲリオン初号機

アニメ『新世紀エヴァンゲリオン』に登場する兵器。搭乗者は碇シンジ。エヴァの運用データを取得するための試験用として開発された。紫色の機体色と額の一本角が特徴。

BLIZZARD KATAKURA

片倉ブリザード

部長から一言

■プロフィール

1989年8月28日生まれ。長野県出身。身長166㎝、体重55kg。
血液型B型。以前は「なおよし」というコンビで活動していたが、
現在はピン芸人としてグレープカンパニーに所属。趣味は特撮
ヒーローなどのおもちゃ集めと散歩、特技はけん玉と卓球。

部員名：片倉ブリザード
ニックネーム：ブリちゃん、ブリ
年齢：31歳
プラモ歴：9年
初めてのキット：ゾイド　ディバイソン（※1）
　　　　　　　　　（バッファロー型）
受賞歴：なし

好きなプラモ工程：完成して動いた時
おすすめキット：ゾイドワイルド　ガブリゲーター（※2）
　　　　　　　　（サルコスクス種）

「元は吉本所属の芸人だったがグレープカ
ンパニーへ移籍。しかし吉本プラモデル
部は続けている。正義のヒーローが大好
きだが、心は闇に堕ちている。根は素直」

MY STATUS 自己紹介コメント

もともとおもちゃで遊ぶのが大好きで、プラモというより、作ってから動かせるおもちゃ寄りのプラスチックが好きです。周囲から「プラモデルを作れ！」とよく言われますが、本人は「プラスチック同士を合わせてできたおもちゃは、すべてプラモと同様である」と定義しています。したがって、「ビーダマンもミニ四駆もプラモ」だと私は信じております。人見知りで、人は嫌いです。ぬいぐるみは好きです。

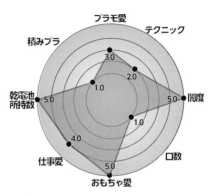

プラモ愛
テクニック
積みプラ
3.0
2.0
乾電池所持数 1.0 闇度
5.0 5.0
1.0
仕事愛 4.0 口数
5.0
おもちゃ愛

SCHEDULE OF A DAY 1日のスケジュール

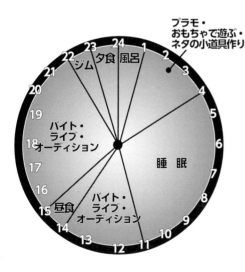

プラモ・おもちゃで遊ぶ・ネタの小道具作り

22 ジム 23 夕食 24 風呂 1 2 3
21
20
19
バイト・ライブ・オーディション 18
17
16
15 昼食
14 バイト・ライブ・オーディション
13 12 11 10 9 8 7 6 5 4

睡眠

基本的には1日の大半の時間はバイトに充てられており、時折ライブやオーディションにも行っているという感じです。帰宅して作業するのはほとんど深夜になりますね。作ったゾイドをラジコンに乗せて、誰もいない深夜の公園で走らせることが大好きです。

模型人たちの作業場
おとこ　　　　　　　せんじょう

WORKBENCH 作業台

机が置けないので、ダンボールが作業台です。これがちょうどいい大きさで、とても大切にしています。ここで食事もするので少し汚れていますが、カレーうどんを食べる際は細心の注意を払います。

ZOID'S RACK
ゾイド棚

一番下の棚には最大クラスのゾイドと、ゼンマイ式の小ゾイドがいます。1〜3段目より埃をかぶっていますが、それがいい感じのかぶり方で、発掘直後のゾイドのようです。私の大のお気に入りです。

ゾイドを置くためだけに、実家から送ってもらったゾイド棚。最近は2段目にいる「ゼロファントス」(※3)に旅をさせる遊びに夢中。旅の途上で、冷蔵庫の下で死んでいたハエをゼロファントスが見つけてくれたこともあります。

BED ベッド

ベッドの上もガムテープを並べて作業場にします。この2つは「鬼火」と「光アッパー」というブリザード武器で、プラモで作れない物をダンボールで作っています。いつか、プラモを使ったブリザード武器を作ってみたいという野望があります。

積みの告白

CONFESSION OF STACK

★☆
★☆
★☆
★☆
★☆

積みタワーはほとんど特撮系のおもちゃだらけで場所を取っています。部屋が狭くてまだ遊べてないおもちゃがたくさんあります。

アニマギア (※4)

プラモは買ってすぐ作るため、「積み」おもちゃばかりです。唯一あるのがアニマギアで、パッケージの絵がカッコよく、それでつい満足してしまうのです。

ダンボール

小道具作りの素材として重要なダンボールたち。より硬く頑丈な素材のものが小道具用に選出されます。柔らかいダンボールで作った小道具のネタは、だいたいスベります……。

ぬいぐるみ

ゲームセンター好きなので、UFOキャッチャーで獲得したぬいぐるみたちを積んでいます。おそらく、この倍以上のぬいぐるみが今後増える予定です。特にお気に入りなのは「おさるのジョージ」。

用語解説

※1　ディバイソン

『ゾイド』に登場する架戦闘兵器。ヘリック共和国軍が開発したバッファロー型突撃戦用ゾイドで、ブレードライガーと並ぶ大型ゾイド。

※2　ガブリゲーター

奇襲戦闘が得意な中型ゾイド。自身で霧を発生させて敵の視界を奪う。本能を解放すると上半身が伸びて巨大な口となり、強力な顎「クランブルジョー」で相手を噛み砕く。

※3　ゼロファントス

人類未到の地、地下神殿エリアから突如出現したゾウ種のゾイドで、進化ゾイドや兵器ゾイドのどちらにも属さない謎の存在。

※4　アニマギア

バンダイキャンディトイが2019年に発売した食玩。マルチメディア展開は未定ながら、主人公とメインヒロイン、主題歌まで設定され、公式サイトで動画が公開されている。

もこんちゃん

■プロフィール

名前：もこん

ニックネーム：もこんちゃん

年齢：お酒飲めるよ!!

プラモ歴：約3年ぐらい

初めてのキット：ノーベルガンダム（※1）のガンプラ

受賞歴：なし。これからばんばん取っていきたい！

好きなプラモ工程：ガンダムマーカーエアブラシ（※2）での部分塗装
　　　　　　　　　（レッドゴールドが好き）

オススメキット：HGUC シャア専用ザク
　　　　　　　　（パチ組だけで誰が作ってもザクはかっこいい！）
　　　　　　　　フジミ模型自由研究シリーズオオカマキリ

プロフィールコメント

もっこーん！吉本プラモデル部紅一点、かわいい担当もこんちゃんだよー!!

虫とプラモが大好き

部長の座を狙って、日々プラモがんばってます!!

技術はまだまだだけど、気合い根性はぜーったいにどの部員よりもあるはず!!

部長とびこえて会長の座も夢ではない！

部長から一言

「吉本プラモデル部のマスコット。中の人とかいない。みんなが応援してくれるほど「稼働域」が広くなっていく。虫が好き。声優の夏陽りんこさんにとても声が似ているがもう一度言う「中の人とかいない」」

MY STATUS 自己紹介コメント

やっぱ女の子として料理はかかせないステータスかなぁって♡
もちろん虫への愛は部員の中でも1番あると思うから、虫プラモにもどんどん挑戦していきたいなぁ!!
あと、おもしろさも負けてないと思うから、みんなもっとがんばれー!!
かわいさは誰にも負けない。それは言うまでもないよね!?
エアブラシはまだ持ってないからこれから挑戦してみたい!!

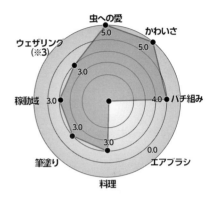

虫への愛 5.0
かわいさ 5.0
ウェザリング（※3） 3.0
稼動域 3.0
ハチ組み 4.0
筆塗り 3.0
料理 3.0
エアブラシ 0.0

SCHEDULE OF A DAY 1日のスケジュール

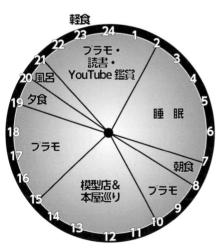

軽食
プラモ・読書・YouTube鑑賞
風呂
夕食
睡眠
プラモ
模型店＆本屋巡り
プラモ
朝食

もこんちゃんの休日!!
部員として働いてない時もプラモのことをたくさん考えたりいじったりしてるけど、やっぱり見た目も大事だから、睡眠しっかりしてマッサージとかもかかさないよー!
プラモ界一の美少女モデラーになるには日々の積み重ね!

105

MOCON CHAN

模型人<ruby>男<rt>おとこ</rt></ruby>たちの作業場<ruby><rt>せんじょう</rt></ruby>

MAIN DESK & TOOLS メイン机と工具類

とってもかっわいい、このピンクのテーブルで作業してるよ。iPadでYouTubeとかアニメ観ながら!! ガンダムマーカーがたくさんある!
まだまだコンプレッサーとかエアブラシは持っていないから、今後はもっともっと立派な作業場になる予定!

PHOTOGRAPH OF BUMBLEBEE
バンブルビーの写真

実はトランスフォーマーが大好きなので、バンブルビー（※4）のグッズを集めてて飾ってます。作業場で見える位置にあるから、すっごいモチベあがるー!!
これからもどんどん集めるぞ!!

積みの告白

CONFESSION OF STKER

でかキットたち

いつ手を出していいのか……、私にこれが作れるのかなどと、永遠に作り始められないかもしれない感じになっている眠れる子たち。いずれもっともっと私が成長したら、作るよ!!

まさに積みプラ

ジャンルはバラバラですが、やはりガンプラ多めです!! もっとも——っと増やしたい! SDガンダム系をどんどこ買いたい!

愛する虫たち

組んだものも塗装したいし、未開封のものももっと遊んであげたい私。
ああ、虫に囲まれて暮らしたい……。

用語解説

※1　ノーベルガンダム
ネオスウェーデン代表のアレンビー・ビアズリーが操縦するモビルスーツ。デザイナーはカトキハジメ。ガンダム史上初の女性型ガンダムであり、俗にセーラーガンダムとも呼ばれる。

※2　ガンダムマーカーエアブラシ
本体にエアホース、エア缶を接続し、ガンダムマーカーを差し込むだけで、吹き付け塗装を楽しめる簡易型エアブラシシステム。色変えはマーカーを差し替えるだけのワンタッチ式。初心者でも手軽にエアブラシ塗装が可能。

※3　ウェザリング
いわゆる「汚し塗装」のこと。あえて砂汚れやサビ、日焼けをしたように見せたり、傷や弾痕などのダメージ表現をすることで、実際に使用されたようなリアル感を演出する塗装テクニック。

※4　バンブルビー
タカラトミーの『トランスフォーマー』に登場するキャラクター。多くは黄色いボディが特徴のオートボットの戦士として登場している。

OTHER MEMBERS

川谷修士 （2丁拳銃） 休部中

1974年5月17日生まれ。兵庫県出身。特技はアメコミ関連、NSC大阪校12期生

部長より一言

「現在吉本プラモデル部休部中。アメコミを愛するサークル「アメコミリーグ」の中心的人物。プラモ動画は全然アップしなかったのに、プラモ部を休部してアメコミリーグのYouTubeでプラモ作る動画をアップしている。いや、こっちでやれや！」

森木俊介 （ラフ・コントロール）

1976年4月14日生まれ。熊本県出身。ゴルフ、ゲーム、ボウリング等特技多数。NSC東京校5期生

部長より一言

「信じてもらえないかもしれないが彼はプラモが好きです。素組みしかしないし、動画もアップしないし、プラモ上手くなろうとも思ってないが、プラモは好きなんです。信じてもらえないのはごもっともなんですが、本当なんです」

中村英将 （ゆったり感）

1981年3月12日生まれ。埼玉県出身。サッカーとピアノが得意。NSC東京校9期生

部長より一言

「ゼロ戦が好き。ただそれだけの理由で吉本プラモデル部に入った男。プラモ全般に対する情熱は薄いが、唯一ゼロ戦のプラモを作る時は楽しそうだ」

ケン （水玉れっぷう隊）

1969年8月22日生まれ。奈良県出身。92年にコンビ結成。映画やドラマでも活躍。

部長より一言

「芸歴、年齢共に最年長。大先輩に対して一方的に決めつけるのは失礼かもしれないが「絶対プラモ好きじゃない」。たぶんみんなでワイワイやってるのが楽しそうだから入ってみただけだと思う。プラモ部ライブではめっちゃウケるが、それはプラモに関係なくお笑いの地力が凄いだけである。あえて言おう！「なぜ入部した!?」

ギータカ （作家）
部長より一言

「吉本プラモデル部のチーフ作家。たぶん吉本プラモデル部全体を一番把握してるのはこの男。何の仕事を任せても「ああ、はい……」という生返事を返してくるが、仕事はキッチリやりあげてくる。プラモはやらないが、プラモ部の仕事をしている間にプラモ知識はかなりのものになっている」

ドイドイ （動画編集）
部長より一言

「模魂ちゃんの編集を担当している。かなりの芸術家肌で仕事のデキは素晴らしいが、締め切りを全然守らない。見た目は三国志に出てくる軍師のような感じ」

吉本プラモデル部

YOSHIMOTO
PLASTICMODEL
CLUB

スペシャル座談会
Round-table discussion

吉本プラモデル部を発足させた、佐藤哲夫部長と鈴木Q太郎副部長。さらにメンバーの中でも精力的に活動している佐藤ピリオド.とチャーリーいたがきの両名を加えて、4人の精鋭メンバーでお届けするスペシャルな部員座談会を開催した。4人でこれまでの活動を振り返りつつ、それぞれが思い描くプラモの夢を語ってもらった。

出・席・者
MEMBER

佐藤哲夫部長　　　**鈴木Q太郎副部長**

佐藤ピリオド.　　　**チャーリーいたがき**

佐藤哲夫 TETSUO SATO

1976年4月3日生まれ。大分県出身。福岡吉本6期生。
2001年4月にコンビを結成して芸人デビュー。2009
年には「M-1グランプリ」で優勝に輝く。吉本プラモデ
ル部の部長を務め、ガンプラビルダーズワールドカップ
で度々入賞するなど、モデラーとしての実績も十分。

きっかけはパジャマパーティだった！？

哲夫 吉本プラモデル部が始まったのは、オレとQちゃんがちょうどオッ
サンになってきたというタイミングで、2歳半になったウチの息子
がプラモデルに興味を持ち出してね……。

ピリオド. おお、2歳半でプラモとは、また早いっすね……。

哲夫 ん、そうかな……。で、息子が「ダンボール戦機」（※1）というゲー
ムをやっていて、ソフトに付録でプラモが付いてたんだよね。「一
緒に作ろうか」って教えながら息子と作ったわけ。そんな話をQちゃ
んとゆう太にしたら、ふたりがすごくビックリしてね……。「マジっ
すか？　実はオレらも最近プラモを始めたんです！」ってね。

Q太郎 そうそう、偶然ね。オレらの場合は（ああ、プラモか。昔やったよなぁ。
なんか懐かしいな）って感じで、ほんの遊び感覚で、たまたまやり
始めた感じでしたけどね……。

哲夫 だったら、ウチにみんなを呼んで酒でも飲んでワイワイやりながら、
プラモを作ってみたら面白いなぁって、パジャマパーティみたいに

用語解説

※1 ダンボール戦機
レベルファイブから2011年にPSP用ソフトとして発売されたプラモクラフトRPG。ゲームソフトにバ
ンダイ製のプラモデルが同梱されて販売された。アニメ、プラモデル、漫画、カードゲームなどのメディ
アミックス作品として人気を博した。

鈴木Q太郎 QTARO SUZUKI

1974年8月14日生まれ。新潟県出身。身長173cm、体重73kg。血液型A型。2001年6月に松田洋昌とハイキングウォーキングを結成。コント、漫才、キャラ芸など、お笑いのジャンルは多様。プラモデル製作以外に、ジャグリングや中国ゴマ、コーラの一気飲みなど多数の特技を持つ。

哲夫 ……（笑）。それがきっかけだった。

ピリオド. えっ、このプラモ部って、パジャマパーティから始まったんですか……。それは知らなかったな（笑）。

哲夫 そうそう。最初のころはプラモだけじゃなく、モンハン（モンスターハンター・※2）とかもやってたよね。まあ、そんな感じで自由にやってたんだけど、いつしか部活っぽくなっていったんだ。でも、入るのもやめるのも自由だし、厳しいルールがあるわけじゃない。

Q太郎 芸人は辞めたけど、プラモ部には残っているという人もいるでしょ。そこは部活っぽくていいかなと……。

哲夫 あくまでも模型サークルだから。別に芸人が仕事の一環でやってるわけじゃないからね。ところで、ピリちゃんとチャーリーはどっちが先に入ったんだっけ？

ピリオド. 入部時期は僕のほうがだいぶ早いです。シアターD（※3）の時からですね。ただ、僕の場合は途中フィリピンに行ったり、沖縄に行ったりもしていたので、不在の時期が長かったですから……。

用語解説

※2 モンスターハンター
2004年発売のPS2用ソフト。『ファンタシースターオンライン』のシステムをモチーフとし、シリーズ第1弾として発売された。初代に当たる本作は、通称「モンハン」と呼ばれ、その後シリーズ化された。

哲夫 そうか、結構早い時期からいたんだね。ピリちゃんは、いつの間にかなじんでたイメージがあったんだけど、いない時期も長かったんだな……。

ピリオド. そもそもは、ミニ四駆が好きだったので、プラモ部に誘われたんですよ。プラモ自体というより絵も描くしモノづくり全般が好きなので、プラモのことはそう詳しくなかったんですよね。でも、やっていくうちにプラモもどんどん好きになって……。

哲夫 そうか。ピリちゃんは造形全般ができるからな。じゃあ来月から「吉本造形部」で独立する？（笑）

ピリオド. なんでそうなるんですか……、やめてくださいよ（笑）。

技術がないと入部できないと思い込んでいた……

チャーリー 僕は部長に誘われたのがきっかけです。

哲夫 確か、コントでナレーションが必要で若手を集めたんだよね。当時2年目くらいだったっけ。それでその時に来たチャーリーとガンダムの話とかもしたんだよ。で、「オレたちプラモデル部ってやってるんだけど、入りたい？」って。

チャーリー その前からプラモデル部のことは知ってたんです。でも、オレなんかが入れるものだとは思ってなかったので……。すごい技術がないと入れてもらえないと思い込んでましたから……。

哲夫 あ、何かオーディションみたいなのがあるようなイメージだった？

チャーリー あ、まさにそうですね。

哲夫 そうか、じゃあ来月あらためてオーディションやろうかな（笑）。

※3 シアターD
東京・渋谷にあったお笑いライブ専門劇場。1995年から2006年まではセンター街。以降は公園通り沿いに立地。「M-1グランプリ」等の予選会場にも使われた。2016年に閉館。

佐藤ピリオド. PERIOD. SATO

1984年3月25日生まれ。福岡県出身。身長168cm、体重65kg。血液型A型。NSC東京12期生。「御茶ノ水男子」としてコンビで活動後、2019年に解散し。ピン芸人として活躍中。元アニメーターという経歴を持ち、趣味は映画鑑賞。特技は排水管清掃、絵を描くこと。

チャーリー いやいや、待ってくださいよ……（笑）。

ピリオド. なんか、さっきから変な流れになってませんか（笑）。でも、チャーリーは、部員でもないのに吉本芸人のプラモ選手権に応募してきたヤツがいるって、ちょっとした噂になってたんだよ。

チャーリー あ、それはその通りで、ドキドキしながら応募しました。

哲夫 で、オレはそんなことも知らずに、声をかけちゃったわけ。実はプラモ選手権に応募してたっていうね。

Q太郎 こいつ、そういう妙なところあるんですよ。「ガールズ＆パンツァー」（※4）のことも、最初は部の中でオレひとりが騒いでる感じで、仲間がいなくてさみしいなって思ってたんです。で、ずいぶん経ってからチャーリーが「オレも好きなんです」って。「早く言えよ」と（笑）。

チャーリー ……いやあ、つい人見知りが発動してしまって、そういうのがなかなか話せないんですよ……。

Q太郎 しかも、オレと同じ新潟出身ということも隠してやがったんですよ。

用 語 解 説

※4 ガールズ＆パンツァー
2012年に放送開始されたアニメ作品。戦車による模擬戦が女性向け武道「戦車道」として大和撫子の嗜みとなっている世界を舞台に、全国優勝を目指す女子高生たちの奮闘を描いた。

哲夫 ……それはおかしいな。出身地くらいは普通言えるでしょ……。だっ
て、ピリちゃんなんて、初対面で「僕、福岡なんですよ」ってグイ
グイ来たもんね。ま、オレは大分なんだけど（笑）。

ピリオド. まあ、オレって哲夫さんが嫌う福岡県人の代表になっちゃってます
から（笑）。ま、そういう意味ではチャーリーの控え目さは逆にい
いんじゃないかな。Q太郎さんに聞かれて初めて打ち明けたわけで
しょ？

チャーリー まあ、そうです。

哲夫 なんで言わないのって思うけど、こちらから１つ手を差し伸べると、
もう全部ついてくるのがチャーリー。だって、オレがプラモ部に誘っ
たその日に、もう神保町のゲームズワークショップまで付いてきた
んだから。行動力はあるんだよな。

Q太郎 そうですね。ひとたび"人見知りダム"が決壊すると、もうすごい
勢いでドバーっとくる（笑）。動画もひとりでガンガン配信したり
とかね……。

哲夫 まさに山頂の大きな岩だよね。押すまでは大変だけど、あとは勝手
に転がっていくという（笑）。あとプラモ部におけるチャーリーの
功績は、ウイングガンダム（※5）の沼のシーンを再現した動画を
投稿したことだよね。あれで、明らかに動画に対する勢いも出たし、
チャーリーの印象も確実に変わった。

Q太郎 そうそう。芸歴もオレとは20年は違うし、最初はおとなしくて存
在も薄かったんだけど、あの沼の動画を見て「こいつ、すげえぞ」っ
てなりましたね。結構寒い時期に、ひとりで沼に行って浮かんで
たわけだから……（笑）。只者じゃないなと……。

※5 ウイングガンダム
1995年に放送されたテレビアニメ『新機動戦記ガンダムW』に登場するモビルスーツ（MS）のひとつ。
鳥のような航空機に変形する可変型ガンダムタイプMSで、主人公「ヒイロ・ユイ」が搭乗する番組前半
の主役機。

チャーリーいたがき
CHARLEY ITAGAKI

1992年7月4日生まれ。新潟県出身。NSC東京20期。ドクターチャーリー、オルフェノクなどコンビでの活動を経て、現在はピン芸人として活躍中。吉本プラモデル部ではインパクト抜群の動画投稿で知られ、人一倍精力的に活動している。一番好きなガンダムのヒロインは、Gレコのアイーダ。

チャーリー あ、ありがとうございます（笑）……。

哲夫 うん。オレもあの動画を見て、これからこいつに注目するか、今すぐやめさせるべきか、という二択を迫られたよね（笑）。ま、でもガッツは認めざるを得ないし、Qちゃんも「チャーリーは面白い」と言ってくれて、何より動画の視聴者さんも注目してくれたからね。

Q太郎 こいつは歌の知識もすごくて、アニメ主題歌とか何振っても歌えますからね。

哲夫 「自分で開けないけど、あいつの引き出しの中はパンパンですよ」ってね（笑）。

ピリオド. 自分では絶対開けないんですよね。開け方を知らないのか（笑）。

チャーリー ああ、なるほど……。

哲夫 だから、その引き出しを開け始めたのがQちゃんだよね。『シティーハンター』（※6）の主題歌とか、世代的に知らないだろうと思って振ったのに、もうガンガン歌いだして（笑）。引き出しを開けたつも

用語解説

※6 シティーハンター
1987年に放送開始されたアニメ作品。原作は北条司の漫画で、初代のオープニング主題歌は小比類巻かほるが歌った。

りが、「そこは押入れでした」って感じだったな。今ではもう、プラモ部のアイドル的存在になったよな。

チャーリー　プラモ部のおかげで自分の認知度が上がったのは確かでして、本当にありがたいことです。

ピリオド.　ホビーショーとかでも、結構声かけられるしね。それを見てオレはもう感動したし、ちょっと悔しかった……（笑）。

知らない街でプラモ屋を発見するとテンション UP

哲夫　普通に考えれば、芸歴も長いし、芸人としての知名度ではピリちゃんのほうがずっと上なんだけど、プラモ界ではそれが逆転しちゃってるというね。

Q太郎　そうだよ。ピリオド. だって、コンビ時代に深夜番組でレギュラー持っていたんだし、結構すごいわけ。そんな男を差し置いてのチャーリー人気だからね。先日も秋葉原で声をかけられたんだけど、「Q太郎さんとチャーリーさんのおかげで、僕は戦車模型を始めました」って人がいて。

ピリオド.　うぉぉー。それは嬉しい！

哲夫　いわゆる"大洗コンビ"（※7）の影響で、戦車を始めたと。ふたりがガルパンの舞台である大洗に行ってプラモを作るという動画の企画なんだよね。まだ、1回も作ってないけど（笑）。あのシリーズって

※7 大洗コンビ
吉本プラモデル部チャンネルの人気企画で、ガルパンの聖地である茨城県大洗町をQ太郎副部長とチャーリーのふたりが訪れる恒例のロケにちなんで命名された。

ガールズ&パンツァーの聖地として盛り上がっている、茨城県大洗町の町役場

どうやって始まったの？

Q太郎 最初はゆう太と一緒に行ったんです。ガルパンの聖地巡礼の旅というだけだったんですよ。で、その後にチャーリーがガルパンファンということがわかり、交代したんです。ゆう太は会社員なんで時間が合わないこともあって、そもそもあいつはガルパンを何も知らなかったから（笑）。

哲夫 なるほどね、そういういきさつがあったのか。それで定着したんだ。

Q太郎 だから大洗をふたりで歩いていると、結構声をかけられます。原宿とかは絶対行けないですけどね。ロン毛とデブのコンビじゃ、さすがに……（笑）。でも、プラモ部を始めてから、テリトリーが変わったことは実感してます。

ピリオド. 確かに。秋葉原と新宿にはめちゃ行きますね。

哲夫 プラモのある場所ばかりを目指すからね。オレはメシを食うのも渋谷にはまったく行かなくなった。渋谷ってプラモがない街だからさ。大手量販店のおもちゃ売り場の一角に申し訳程度に置かれているだけ。ホント、オレん家よりプラモ少ないもん（笑）。

ピリオド. いやいや、部長のお宅は模型店が開けるくらいの量ですから……。渋谷の街中のプラモを全部集結させてもかなわないでしょう（笑）。そんな哲夫さんでも、アキバにはさすがに勝てないですかね。

哲夫 ……そうだな。畜生強えなアキバ（笑）。いつか、アキバを超えてやるぜ！（笑）

ピリオド. いやあ、さすがにアキバは無理でしょ。ラジカン（※8）だけでもど

んだけあることか……（笑）。

哲夫 「アキバになければ、部長の家に行け」というくらいに、いつかなりたいな（笑）。

Q太郎 まあ、新宿ならココとココみたいに、オレもショップはある程度網羅できるようにはなりましたね。

ピリオド. あと、知らない街に行ってプラモ屋を見つけると、テンション上がりません？

哲夫 ああ、それはかなり上がるね！

ピリオド. そんな時に、オレってプラモ部員なんだなぁって、実感するんです。この間も赤羽を歩いていたら、プラモ屋を見つけてめっちゃテンション上がって、すげえ興奮しちゃって（一同爆笑）。

哲夫 それ、すごくわかるねぇ。"プラモ部あるある"だな。あと逆にさ、街で「模型」って看板見つけて「やった！」って入ったら、鉄道模型しか置いてなくて、ちょっとテンションが下がったりとかね……。営業に行くとさ、1ステージと2ステージの間に、4時間も空いてることとか、結構あるでしょ。そんな時はスマホで検索して模型店を探したりするね。

ピリオド. そういえば沖縄で一緒に行きましたよね。

Q太郎 オレは長崎で部長と模型店に行った（笑）。

チャーリー どのくらいプラモが置いてあるのか、気になりますからね。

哲夫 もう、我々はプラモから逃れられない体になってるよね。

ピリオド. フィリピンですら、オレ行きましたからね。模型専門店もちゃんとありましたよ。

Q太郎 外国に行くと、結構まがい物とかもあるんだよね。「ダンガム」みたいな（笑）。

用語解説

※8 ラジカン
「秋葉原ラジオ会館」の通称。1962年に建てられた旧ビルは取り壊されたが、その跡地に2014年に竣工した新ビルのことを指す。海洋堂など模型関連のテナントが多く出店していることで知られる。

プラモ好きなら、誰もが一度は足を運ぶという
「ラジカン」こと秋葉原ラジオ会館

昔はプラモが男の子の遊びの王道だった

哲夫 ところで、みんなはそもそもプラモを始めた時って、どんなきっかけだった？

ピリオド. 僕は４、５歳だったかな。SDガンダムのドムを作りましたね。誕生日とか、必ずＳＤの何かを買ってもらって、ズラ～っとそろえてました。当時は、カードダス（※9）とＳＤガンダムが僕にとっての二大巨頭でしたね。

哲夫 そうか。ＳＤの時代なんだ。ＳＤは、小学生でも買えるような値段で売っていたからね。オレやＱちゃんの時代だと、いわゆる旧キットの世代だからね。当時は３００円くらいで買えたんだ。チャーリーは？

チャーリー 僕は１２歳くらいで、ガンダム SEEDのコレクションシリーズが初めてでしたね。

哲夫 えっ？　じゃあ小６くらいで始めたの？　結構遅かったんだ……。でも、そこに世代の差を感じるなぁ。オレらの時代は、プラモデル

![用語解説]

※9 カードダス
1988年にバンダイが発売開始したトレーディングカード。漫画やアニメを題材とし、「SDガンダム」と「ドラゴンボール」が２大人気で、後に「美少女戦士セーラームーン」も加わって女児にも人気を博した。

にまったく触れずに幼少期を過ごすこと自体が考えられなかったから……。昔はもっと生活に密着してたんだよ。例えば歯医者に行って、子供がおもちゃをもらうと、そこに組み立て式の簡単なプラモが入っていたりとか……。

ピリオド. なるほど。男の子の遊びの王道がプラモだったんですね。僕らの世代だと、ゲームがありましたから。

哲夫 君たちの場合、最初からファミコンとかプレステとかがあったんでしょ。

ピリオド. そうです。だからプラモに触れないことも珍しくはなかったんですね。

Q太郎 オレらの感覚だと、ファミコンがプラモにとどめを刺したような感じでしたね。プラモが下火になってきたところに、ドカーンとファミコンが登場して……。オレもそこで、プラモから離れちゃったから……。

哲夫 まあね。確かにオレもファミコンはやったけど、その時点でプラモに深入りし過ぎてたから……。小学生の時にもうエアブラシで塗装してたからね。

ピリオド. うわ、やっぱりすごいな……。僕の場合は、スーファミとかもありましたけど、ミニ四駆（※10）というブームが来てくれたので、それで初めて缶スプレーで塗装することを覚えた感じでしたね。

哲夫 うーん、そうなのか。オレはミニ四駆はまったく通らなかった……。

Q太郎 オレはちょっとやりましたね。当時はおもちゃ屋の店頭にコースが設置されていて、そこでミニ四駆を走らせるのが流行ってましたよ。

※10 ミニ四駆
タミヤが発売するモーターを搭載した四輪駆動の模型で、単3型乾電池で走る。モーターと電池はスイッチで直結され、スイッチを入れたら全開で前進し、軌道上で走行させる仕様。

タミヤのRCカー。大人たちも夢中にさせて、当時のラジコンブームを
けん引した

哲夫 オレ、3つ上の従兄弟のお兄ちゃんとよく遊んでいたんだけど、ちょうどミニ四駆ブームの直前にラジコンブームが来て、ホーネット（※11）とかホットショット（※12）に従兄弟たちと夢中になったんだよ。だから、ミニ四駆はどうしてもショボいバージョンに感じられちゃったんだよな。だから、オレよりちょい上の世代でミニ四駆をやる人は少なかったと思うんだよね。

Q太郎 オレは部長より2年上なんだけど、ハマるほどでないにしてもミニ四駆はちょっとはやってましたけどね……。

哲夫 （小声で）……きっと、ラジコンが買えなかったんだね……。

ピリオド. 「ラジコン、楽しいよな」って、友だちに見栄張ってるけど、じつはミニ四駆だったとか？　まあ、明らかに違いますけど……（笑）。

Q太郎 うん……ホントにそうだったかもしれない（笑）。やっぱり、当時のラジコンはお金持ちの遊びだったから。

哲夫 確かにミニ四駆が大ブームになったのは、ラジコンがやりたいけど買えないという子供たちがいっせいに飛びついたという背景もあったんじゃないかな。オレだって、当時はお年玉とか根こそぎつぎ込んでラジコンやっていたからね。もう、服なんてボロボロでさ（笑）。

Q太郎 テレビで「RCカーグランプリ」（※13）とか、夢中で見ていましたよ。

ピリオド. それ、オレもずっと見てました！

用語解説

※11 ホーネット
1984年に田宮模型（現・タミヤ）が発売した、グラスホッパーの上級モデルとして登場した電動RCカー。

※12 ホットショット
1985年にタミヤが初めて発売したバギータイプの4WD電動RCカー。当時のキット価格は21,800円だった。

哲夫　チャーリーは、その辺はどうなの？

チャーリー　いやあ、ミニ四駆もラジコンもまったく通ってなかったです……。僕ら世代だと、とにかくポケモンでしたから。ゲームから入って、アニメも観て……。そこからもうしばらくはポケモン一色でしたね。

哲夫　ただ、ポケモンの場合はプラモ化されたのがやや遅かったんだよね……。

チャーリー　それは確かにありますね。子供時代には、ポケモンのプラモで遊ぶということはなくて……。今はポケモンのモデルも作っていますけど、「なぜ、これが出てないんだ」と思うことが多いんですよ。

哲夫　へえ、例えばルカリオ（※14）のキットはあるの？

チャーリー　それはあります。

ピリオド.　じゃ、サワムラー（※15）は？

チャーリー　ないですね。

哲夫　だったら、カポエラー（※16）もないのかな？

チャーリー　ないんですよ……。

ピリオド.　オレ、カポエラーって知らない（笑）。やばいな。部長のボケだと思って突っ込むところだった……（笑）。

哲夫　まあ、子供がいるほうがポケモンに詳しくなるからね。

用語解説

※13 RC カーグランプリ
正式タイトルは「タミヤ RC カーグランプリ」。タミヤが開催するラジコンカーによるレース大会で、テレビ東京系列で放送された。製作局のテレビ東京では1984年10月から1999年3月まで放送。

※15 サワムラー
「キックの鬼」の異名を持つ雄のみのポケモン。茶色い楕円形の体から手足が生えたような外見。バルキーから進化する時に「ぼうぎょ」より「こうげき」のほうが高いとサワムラーとなる。

※14 ルカリオ
獣人のような姿をしたポケモンで、イヌ科に似た頭部を持ち、体形はほぼ人間に近い。1km 先にいる相手でも行動や考えを読み取ることができる。また、人間の言葉を理解することも可能。

※16 カポエラー
笠を被ったような頭をしたポケモン。回転しながらのキック攻撃が得意。バルキーがレベル20に達した時、「こうげき」と「ぼうぎょ」の値が等しいとカポエラーに進化する。

日本にどデカいプラモブームを起こしたい！

哲夫 今の子供たちの遊びの中で、やっぱり王者はゲームで間違いない。でも、今の子供たちがゲームに夢中だからプラモをやらなくなったというのは、オレは違うと思うんだ。だって、オレも息子もゲームもやるけど、プラモもやっているわけだから。別に、ゲームを楽しみながらも、プラモの魅力がしっかり伝われば、子供たちはプラモに帰ってくるはずだとオレは思っている。

ピリオド. 同感ですね。オレだって、ゲームに夢中だったけどミニ四駆のブームが来て、スーファミと並行して楽しんでいましたから。

哲夫 そうそう。だから、10歳までにプラモのおいしさを一度知ってもらうことが重要なんじゃないかな。その時期にプラモの味を知れば、大人になった時にもそのおいしさが自分の中にずっと残っているからね。

ピリオド. 子供時代には高くて買えなかったものでも、大人になって買えるというパターンも結構ありますしね。

哲夫 うん。だから、ゲームをやめなくてもプラモを楽しんでもらえばいいわけ。

Q太郎 ゲームで流行ったものがキットになることもありますからね。「サクラ大戦」（※17）なんかもそのパターンでしょ。

哲夫 確かに。「サクラ大戦」のキットってカッコいいよね。

ピリオド. 今となっては、プレステの本体もプラモデルになってますから。

哲夫 そうだよなぁ。あのね、オレ個人としての夢なんだけど、「日本にドデカいプラモブームを起こしたい！」って思ってるわけ。プラモという遊びを、もっと広く普及させたい。今は「一度もゲームをやったことない子供」って、ほとんどいないかもしれない。プラモもそ

用 語 解 説

※17 サクラ大戦
1996年に発売されたドラマチックアドベンチャーゲーム。後にアニメや舞台などメディアミックス作品として発展した。CESA大賞'96（日本ゲーム大賞）にて作品賞を受賞。

んな存在にしたい。「誰もが必ず体験する遊び」にね。だって、オレたちの時代はそういう存在だったんだから。オレはプラモをもう一度そんな遊びにしたいんだよ。で、みんなはそれぞれプラモに対する夢ってあるのかな？

Q太郎 オレは展示会をやってみたいです。でも無理かもしれないなぁ……。

哲夫 なんで無理なの？

Q太郎 つまり、今完成させたものを後で見ると、技術的に物足りないなって思うわけですよ。昔作ったものはもう恥ずかしくて並べられないと思うんです。過去に作ったものを好きでなくなっちゃう……。自分の腕とか技術、センスがマックスになった状態の物だけを並べたいんですよね。

ピリオド. ……うわ、意識高いですね。

哲夫 なるほど。そう考えると確かに無理かもしれないよ。だって、技術の水準なんて一生上がっていくんだから。常に現状に満足できないことになる。プラモの魅力のひとつは、「成長できる喜び」だと思うから。何歳で始めたとしても、どんどんうまくなれるでしょ。これが大きなプラモの魅力なんだよね。オッサンになると、ほぼすべての能力が下がってくるから（笑）。視力も記憶力も体力もね。硬いものも噛めなくなるし（笑）。オッサンがスポーツをやっても若者には到底かなわない。でも模型はオッサンでも成長できるんだよ！手先とかじゃなくて、知識で成長できるから。

2019年の静岡ホビーショーに出向いた際の哲夫部長（吉本プラモデル部チャンネルの動画より）

Q太郎 あと、道具も進化しますね。ニッパーのすごいヤツ（※18）が出てきたりとかして、どんどん切りやすくなって、作品の質も上がるとか。キット自体も成長しますしね。

哲夫 だから、Qちゃんの展示会って一生開かれないかもしれない。だって、現状でのマックスの作品は、あくまで一つしかないってことになっちゃうでしょ。でも、銀座の一等地とかに広いスペースを借りてさ、真ん中に1コだけ置いてある展示会なんてやったら、結構カッコいいかもよ。そこにスーツにタートルネック姿のQちゃんが現れて「お気に召しましたか……」って（笑）。

Q太郎 いやいや、それは恥ずかしいでしょ……（笑）。うん。まあ部内の展示とかイベントとかには参加させてもらっているので、いつか個展をというのが夢ではありますね。

哲夫 うん。でも個展というのは素敵な夢だよ。チャーリーはどう？

チャーリー まだ芸人としての仕事がないので、とにかく「チャーリーいただき」としてオファーが来るようになりたいとは思っています。それが目標ですね。

ピリオド. プラモ部の誰かではなくて、チャーリー個人を名指しでというね。

哲夫 うん。それは来るようになるんじゃないかな。実際、既に仕事を頼みたいという人はいると思うよ。今はオレが部長として代表でプラモ関係の仕事を請けてる形だけど、チャーリーがイベント会場とかで模型業界の人たちに名刺を配ってアピールしてもいいと思うよ。だから「モデラー名刺」を持っていると、そういう時に役に立つんだ。

用語解説

※18　ニッパーのすごいヤツ
プラモデル用ニッパーの常識を覆した「究極な切れ味」を持つ、ゴッドハンドのアルティメットニッパーが有名。刃先の硬度や切れ味が段違いで、このニッパーを知ってしまったら他社のニッパーには戻れないとも言われる。

ハンパなヤツがプラモを語りだすと腹が立つ

ピリオド. ただ、模型業界のことをよく知らないので、例えばＸ社に接近したらＹ社と仕事できなくなるとか、もしそういう裏の掟みたいなのがあると怖いですね……。

哲夫 その点はね。ホビーショーとか大きなイベントに行って、ガンガン回ってみるといいよ。途中からガンダムのニュータイプ（※19）のように洞察力が身に付いて、そういう模型業界の関係性までが透けて見えてくるから（笑）。中には同じ会社なのに、事業部によってやたらバチバチやっているようなこともあるしね（笑）。

Q太郎 まあ、模型関連の仕事もマネージャーさんを通すわけだから、この人どうかなという時は相談すればいいんだよ。そこはあくまで「吉本プラモデル部」だから。で、ピリちゃんの夢は？

ピリオド. 僕はもっと「楽しい」を伝えたいなと思っています。プラモデルの世界って、「これはダメ」とか「あれやったらいけない」という暗黙のルールが多いと感じているんです。だからビギナーの人には怖さがあるような気がして。もちろん、全部が必要なことかもしれないんですけど、それだと広がるのかなというギモンもあって、そんなことをずっと思ってるんですね。僕の好きなアメコミの世界も同様で、ビギナーの人は怖いっていうんです。だから、とにかく「プラモって楽しいんだ」ということを広めたい。そのためには、もっと自由であっていいんじゃないかなと……。

哲夫 うん。よくわかる。だけど、そこはあまり考えなくていいと思う。うるさいことを言っているような人たちも、決して怒っているわけじゃなく、自分の好きなことに夢中になっているがゆえに出る言葉

※19 ニュータイプ
機動戦士ガンダムシリーズに登場する「宇宙に適応した新人類」を指す。作中では、人類の革新とも言われ、他者との意思疎通や直感能力がほかの人間に比べて鋭い。

だと思うんだよ。何か言われた時に、真剣に受け止め過ぎないで、「スイマセン」って、とりあえず軽く謝っちゃう程度でもいいんじゃない。

Q太郎 プラモの世界にどっぷり浸かるようになると、そこの葛藤はオレもわかるんです。例えば、ガッツリ作らない人に対して、(なんだよ、ちゃんと作れないくせに……)という思考に陥りそうになるんです。

哲夫 それはね。オレたちがプラモ部として団体行動をしているという理由もある。部内でも力量や熱量には個人差があるから。

Q太郎 部内の話だけじゃなく、オレはプラモ界のYouTuberをライバルとしてチェックしてるんですけど、本当にリスペクトできる人もいる一方で、割と緩いレベルの動画とかを見ると「なんだ、こいつ」って思っちゃうこともあるんです。

哲夫 そうだな。オレの姿勢としては、「あんまり作ってないな」という人でも、当人が変に語ったりしなければ気にならない。ロクに作ってない人が「プラモっていうのは、こうだよね」とか言い始めたら「おいおい……」とは思うけど。

Q太郎 あ、そういうことかもしれない……。作っているレベルの問題というより、「語ってる」ことに対して頭にきたんだ。

哲夫 例えば「素組み」(※20)しかしないような人であっても、当人がそれで自己完結して楽しんでいる分には何も問題ないし、よかったねと思えるよね。だけど、その人がもし「プラモなんて素組みで十分だろ。色とか塗るヤツの気が知れねえ」とか言い出したら、「ふざけんなよ。オレは塗りてえんだよ!」って思うよ。

Q太郎 ああ、きっとそういうことだったんだ。わかりましたよ、部長。

哲夫 あとね、オレが絶対仲良くなれないと思うのは、動画配信とかしてそこそこ人気があっても「あなた、プラモ好きじゃないでしょ」って人は無理だな。意外にいるからね。

「プラモが本当に好きな人」となら仲良くできる

チャーリー 僕の周りにも、プラモ部に入って先輩方とお近づきになりたいとか思っているヤツはいるんです。でも、コネを利用しようというだけで、プラモは二の次という感じなので……。

哲夫 ああ、それはすごくイヤなのよ。本当にプラモが好きな芸人がいれば、多分オレのほうが吸い寄せられると思うんだ。だから、「プラモが好きかどうか」が一番重要で、「プラモが好きじゃない」という感じがしちゃうと、自分の好きなものを否定された気持ちになっちゃうんだよね。だからね、「プラモは大好きです。だけど、オッパイも映します！」というYouTuberがいても全然否定しない（笑）。オレたちだって、みんなプラモが好きで、プラモを広めるために、おしゃべりの技術などを使って活動してるわけだから、手段は人それぞれでいいと思うんだ。とにかく、プラモが好きでいてくれればね。あと、ついでに言うけど、オレはやっぱり「転売ヤー」は大嫌い。

Q太郎 あれをやって稼いでいるのは、プラモが好きじゃない人たちですから。オレは彼らの動画もチェックしましたけど。もう、高く売るためのノウハウとかはすごいんだけど、本当にビジネスだとクールに割り切ってやってますよね。

ピリオド. それはまた、すごいところまでチェックしていますね。まあ、でもいいことだと思いますよ。

哲夫 だからさ、彼らがプラモ好きな自分の親友にも同様に高値で売りつけるのだったら、文句言わないわ。でも親友に仕入れ値の10倍とかで売りつけるとすれば、それはやっぱりまっとうな人間とは思えないし、オレはそういうヤツとは付き合えない。

用語解説

※20 素組み
プラモデルを作る際に改造や塗装などをしないで、説明図通りにストレートにパーツを組み立てること。

ピリオド. まあ、転売ヤーが好きな人ってのもあまりいないとは思いますけど。

哲夫 だけどさ。そういう販売のロジックに感動しているような人もいるわけだよ。そういうビジネスにあこがれてマネしているようなね。

Q太郎 だけど、結局はそういう人たちもいいカモだと思うね。つまりはロジックを売りつけられているわけだから。

ピリオド. まあ、我々とは対極の人たちだということですよね。オレの場合、秋葉原工作室（※21）を利用しているのですが、工作室の椅子を戻さない人が嫌いですね（笑）……。

哲夫 うん。工作室はまさに典型だけど、みんなが趣味を楽しむ場所で、一番大事なのは、技術云々じゃなくて、マナーなんだよね。超絶的なプロモデラーの人たちだって、皆さんマナーが素晴らしいからね。あと、その延長だけど、身だしなみも大切。展示会の直前まで徹夜して手を入れて、最高の作品を完成させたとしても、風呂は入らないとダメ（笑）。

ピリオド. それはチャーリーも注意しないとな（笑）。

チャーリー はい。それはしっかりと……（笑）。洗濯機も洗いました……（笑）。

哲夫 おお、洗ったか。よかったよ。ウチの奥さんも心配して洗濯槽用の洗剤をあげたりもしてたから……。

チャーリー ああ、その際はご迷惑をおかけしました。ありがとうございます。

哲夫 そんなチャーリーは気になっていることはあるの？

チャーリー 動画を撮っていて気になるのは、お店に無断で撮影する人がいることですね。撮影の許可をもらうのって、結構大変なんですよ。自分でやるようになったから、マネージャーさんやスタッフの苦労も実感できたので、だから勝手にやる人を見ると腹が立ちますね。

用 語 解 説

※21 秋葉原工作室
4時間 1,000円（土・日・祝は 1,500円）と低価格で利用できることで、モデラーに人気が高いレンタルスペース。プラモデル製作に必要な工具はほとんどレンタル可能であり、塗料ブースも完備している。

Q太郎 あれ、ホントに大変なんだよね。ちゃんと許可を取っていても、現場の人に話が伝わってなくて怒られたりすることもあるからね。

チャーリー そうですね。だから、ちゃんとやろうよって言いたいです……。

哲夫 そうだね。いろいろと言いたいことを言ったけど、とにかくこれからもみんなで楽しくプラモをやりつつ、プラモの楽しさを広めていこう!

一同 わかりました!

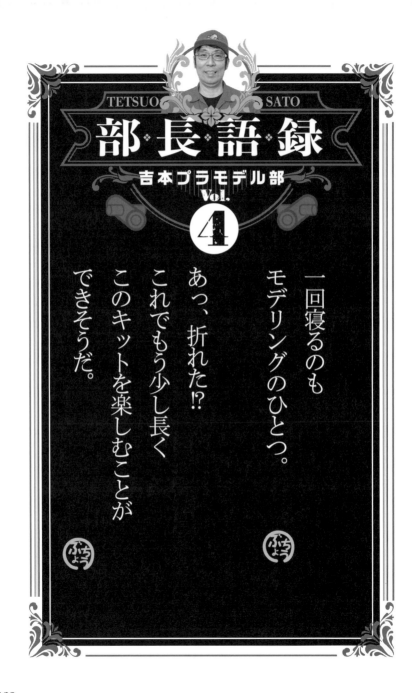

部・長・語・録

吉本プラモデル部
Vol.

4

一回寝るのも
モデリングのひとつ。

あっ、折れた!?
これでもう少し長く
このキットを楽しむことが
できそうだ。

第3章

塗装編

吉本プラモデル部、テクも磨きます！

部員たちの裏技テクニックを特別公開。さらに特別企画として、我々がお世話になっている日本を代表する凄腕プロモデラーの名鑑を作品付きでお届け。プロの技をとくとご覧あれ！

俺だけの㊙テクニック
「俺テク」講座
My technological lecture

佐藤哲夫部長をはじめ、吉本プラモデル部員の精鋭たちが、プラモの自分流テクニックをこの場でそっと教える、題して「俺テク」講座。役に立って、ちょっと笑える、そんな芸人モデラーならではの面白テクニックに注目だ!

俺 ☆ORE TEC 01

Selections of a plastic model member are telling themselves way technique of PlAMO quietly at this place.

佐藤哲夫部長の俺テク
『余ったエポパテを有効に使うテクニック』

みなさんはエポパテを練り合わせたものの、かなり余ってしまいそのまま固まってどうしようもなくなった……というご経験がおありでしょうか? そこで、今回はそんな余りエポパテを有効に使う俺テクを特別にお教えしたいと思います。

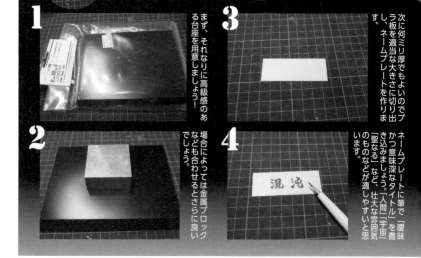

1 まず、それなりに高級感のある台座を用意しましょう!

2 場合によっては金属ブロックなども合わせるとさらに良いでしょう。

3 次に何ミリ厚でもよいのでプラ板を適当な大きさに切り出し、ネームプレートを作ります。

4 ネームプレートに筆で「曖昧かつ意味深な大きさに書き込みましょう。「人間」「宇宙」「聖なる」など、壮大な雰囲気のものなどが適しやすいと思います。

俺★ORE TEC 02

Selections of a plastic model member are telling themselves way technique of PlAMO quietly at this place.

Q太郎副部長の俺テク

裸でプラモをする時のテクニック

裸でプラモする時に使える俺テクです。
ヤスリがけしている時、ヤスリの目に詰まった削りカスを取る時にこうやってます。
モモに布をガムテープで貼って、そこにヤスリを擦ればヤスリの目づまりをすぐ取れます！

サフ塗装で使えるテクニック

5

サーフェイサーを吹く時はこうしてパーツを全部ぶら下げまとめて吹くと時間短縮になります！

見にくいパーツもよく見えるテクニック

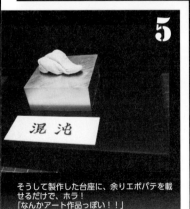

混沌

そうして製作した台座に、余りエポパテを載せるだけで、ホラ！
「なんかアート作品っぽい！！」

プラモの箱にパーツを入れて組み立てる方も多いと思います。でもグレーのパーツだと見えにくかったりします。なのでこのように平べったい容器を100円ショップで買ってきて黒の紙をひいた物を作ってその上に組んだ物を保管しておくと見えやすいです。小さいパーツもわかりやすい。濃い色のランナーなら白の紙をひいた物でやると見えやすいです。

俺☆ORE TEC **03**

Selections of a plastic model member are telling themselves way technique of PlAMO quietly at this place.

チャーリーいたがきの俺テク

乾燥を早めるテクニック

塗装後、どうしてもパーツの乾燥を早めたい時は原付に乗って風圧でパーツを乾燥させます。最初は両手にパーツを持ってやっていたのですが、効率が悪かったので前カゴを増設しました。ラッカーや水性塗料はすぐ乾燥しますが、エナメルは一駅分往復しないと乾かないので、注意しましょう。

エアブラシが無くても塗装できるテクニック

エアブラシを持っていなかった頃、毒霧でパーツを塗装していました（懐かし!!）水性塗料を水で希釈するのですが、水道水より輸入品のミネラルウォーターのほうが良く発色します!

俺☆ORE TEC☆04

Selections of a plastic model member are telling themselves way technique of PlAMO quietly at this place.

ソドムの俺テク

紙コップ保管テクニック

塗料を紙コップに入れて、ラップでフタをする保管方法です。塗料が揮発しにくくなったり、紙コップを倒したときの被害を最小限に留めたりできるので、良いことずくめです。

マスキングテープをマスキング！

ソース入れ活用テクニック

マスキングテープをマスキング。作業机の上に置いたままのマスキングテープはフチに細かいゴミなどが付着してしまいます。そこでマスキングテープ自体をマスキングすることでゴミから保護しています。

100均で売っているソース入れを使い、ここに使用頻度の高い溶剤や艶消しを入れてすぐに使えるようにしています。ケースの素材がポリプロピレンなので、溶剤で溶けることもありませんのでオススメです。

Selections of a plastic model member are telling themselves way technique of PLAMO quietly at this place.

俺★ORE TEC 05

アイバーの俺テク

二重のアルティメットニッパー

パーツの二度切りを一度で済ます超時短テクです。上のニッパーがランナーを切り離した瞬間に下のニッパーがゲートをカット！切れ味の凄さで人気のニッパーを下に配することで、速度と切断面の美しさを両立します。

ただし、この技は選ばれし者にのみ使用を許される俺テクなので、読者の皆さんは真に受けてやらないようにしましょう。責任は持てませんよ……。

プロモデラーの俺テク評価 PRO

吉本プラモデル部員たちが披露してくれた俺テクが、実際にどうなのか。プロモデラーのチョートクヨシタカさんに評価を下していただいた。さて、プロの目で見て、俺テクは使えるのか！否か？

01 佐藤哲夫編

●余ったエポパテを有効に使うテクニック

チョートク ヨシタカ

本名：長徳佳崇。1980年生まれ。2005年にプロモデラーとしてデビュー。モデルアート社の模型雑誌『艦船模型スペシャル』での連載を皮切りに、ホビージャパンなどの専門誌で活躍。艦船模型を得意とし、その経験を活かした水汚しの技巧で特に知られる。

ついつい多めに練ってしまい余りがちのエポパテ。これで毎回作品も増えてまとまったら個展も開けそう。フランス語、ドイツ語など一見読めない言語で重厚感のあるタイトルをつけるのもいいでしょう。

02 鈴木Q太郎編

●裸でプラモをする時のテクニック
裸ではなかなか作業をしませんが、やすりの目詰まりが手元で解決できるのはいいですね！

●サフ塗装で使えるテクニック
手で回転させて微妙な角度も吹けたら意外と使えるかもしれません。

●見にくいパーツもよく見えるテクニック
実際はエプロンで同じような効果を得たりしています。淡くて小さいパーツはなくなりやすいのでこれはなかなかに使えそうです。

03 チャーリーいたがき編

●乾燥を早めるテクニック
一刻も早い完成を目指して原付を飛ばす姿がまぶしいです。事故さえなければ移動もできるので一石二鳥ですね。

●エアブラシが無くても塗装できるテクニック
原理としてはエアブラシに似ていますがいかんせん安定しません。肺活量や筋力が鍛えられそうなので、安定した塗装ができる頃にはダイエット効果も？

04 ソドム編

●紙コップ保管テクニック
調色が多くなると瓶が足りなくなってよくこんなことになりますね。倒れないようにカップホルダーも使用すればかなり実戦的かもしれませんね

●マスキングテープをマスキング
マスキングテープは確かにホコリが付きますよね。ケースに入れずに使う人にはとても有効かも？

●ソース入れ活用テクニック
揮発の具合は気になりますが、液体を入れる容器なので手軽に良い分量を注げそうでいいですね。地味ですが有効な時短テクです。

05 アイバー編

●二重のアルティメットニッパー

達人になると最高で四重までいけるとかいけないとか……。二度切りではないですが、小物パーツを一発で切り離したりできそうですね。

日本プロモデラー名鑑

吉本プラモデル部が、現在活躍中のプロモデラーを厳選して紹介する「日本プロモデラー名鑑」をお届け。彼らの珠玉の作品も特別公開。カラーじゃなくてごめんなさい……！

FILE 01
サクライ総統
SAKURAI SOTO

1969 年生まれ。

「模魂ちゃん！」レギュラー！

25歳の頃プロとして活動を始めるが、20歳の頃より各種イベントでオリジナルキットの販売や展示を始める。気が付いたらプロとしての活動も、いつの間にか四半世紀を過ぎていたとのこと。

基本的にマルチモデラーだが、ハウツー記事や動画などの活動も多い。数年前までは宇宙戦艦を専門分野としていたが、諸般の事情で3年ほど離れていたものの、現在は宇宙戦艦への復帰を構想しているらしい。

その膨大なプラモ知識と経験値から「人生二周目」疑惑あり。

プロフィール写真から巨大なインパクトを放ちながら、対人関係では気配りと礼儀を重んじるところから「人生二周目」疑惑は確信に変わる。プラモ話が白熱すると、人格が崩壊することもある。

あと娘ちゃんが可愛い。

JAPAN PROFESSIONAL MODELER DIRECTORY

01

■ウェーブ 1/100 ジュノーン後期型
緊急事態宣言下に公開された「レア10」にて製作。
80年代末期に発売されたFSS極初期のキットで、完成させることが困難なキットとして有名。そのため製作を諦めたモデラーも多いが、21世紀のマテリアルを用いて令和の現代に蘇らせている。

■ボークス IMS 1/100 シュペルター
吉本プラモデル部動画、2020年末の「FSS模型祭」にて製作。
キットは設定版、デイモス・ハイアラキのウォータードラゴンでモデライズされているが、動画内でコミックス第4巻に登場したダグラス・カイエンに改造している。

■フジミ 1/24 RX-7 FD3S Aspec

副部長の生配信中に企画が立ち上がった「イニシャルQ」にて製作。秀作であるアオシマ版ではなく、あえてフジミ製キットを使用して製作。リトラクタブルライトやウイング、ホイールなどはアオシマ版から流用し完成させている。

FILE 02

チョートク ヨシタカ
CHOTOKU YOSHITAKA

1980年生まれ千葉県出身。
吉本プラモデル部チャンネル「模魂ちゃん！」レギュラー。
TOYラジのメインパーソナリティも務めるなど、喋って
作れるプロモデラー！
どんなジャンルのプラモデルも作るが、やはりメインは艦船模型！
海と船を自在にあやつるその姿は海神ポセイドン！
模型メーカー「モデリウム」では取締役を務め、キットの企画開発から他メーカー
とのコラボ企画も展開。奥義「チョートクウェーブ」でプラモデル業界にビッグ
ウェーブを巻き起こす！

■1/350 空母隼鷹
月刊『モデルグラフィックス』2017年2月号掲載作例
ハセガワ1/350空母隼鷹を純正エッチングを使用し製作しました。
フルハルキットなのでディスプレイモデルとして
仕上げつつ船体には軽く汚しを入れ質感も強調しました。

■パレードム

吉本プラモデル部のライブ用に製作。
MG、HGUCドムと三連星のフィギュアを使用しもしジオンが戦争に勝っていたら出来ていたかもしれない架空のテーマパーク「ジオニーランド」のパレードに登場する山車風に製作。土台はプラ板でスクラッチしました。

■MG フルアーマーガンダム

『HJ メカニクス』03掲載作例
MG フルアーマーガンダムをディテールアップ。
激しい戦闘を潜り抜けた使用感をパッケージのCGを参考にフィルターやドライブラシなどの効果を使った「宇宙汚し」で追加しました。

■上陸作戦

月刊『ホビージャパン』2020年2月号掲載作例
OBSOLETE のジオラマ作例として製作。
1/35 エグゾフレーム 2 体を潜水タイプに改造し敵地に密かに侵攻するシーンを立体化しました。フィギュアも付属のものからミリタリーフィギュアをダイバーに改造したものをのせています。

■向こうで見たよ

吉本プラモデル部の企画「僕らの七日間一年戦争 Re:RISE」にて製作1/144ガンキャノンⅡを使用してパッケージアートのような砂漠の風景ジオラマを製作しました。ラクダの隊商をつくり敵の情報を教えてもらっているシーンを立体化しました。

FILE 03
木村学
KIMURA MANABU

90年から月刊『ホビージャパン』でプロモデラーデビュー。キャラクターキットを中心に時にクリーチャー、特撮、F1カーも製作。HJ入社後は山岡五郎、電撃では岡田雅之名義で作品を発表。2015年よりHJ編集長就任後はたまに本名で作例を作る簡単フィニッシュモデラー。

ホビージャパンの編集長という肩書きを持つのに、信じられないくらいフットワークが軽い！

冗談のつもりで持ちかけた企画もイケるとふんだら、「面白いですね！それいきましょー！」とノリでOKを出してくれる吉本プラモデル部的にとてもありがたい性格。大喜利とかも大好き。

■フルスクラッチ 1/144 スケールザクⅡ F2型

人生初のスクラッチ。しかもレジンで複製して数体作りました。当時の編集長の無茶ぶりによく応えられたと今でも思い出に残る一作です。

■バンダイスピリッツ 1/144 スケール HG ZZ ガンダム

実はすでにHJ社員だったので、社長にバレないようペンネームで製作。しかも確か製作期間は 2 週間もなかったはず。今思うとキットレビューなのに結構大改造で、恐ろしいことしてたなぁ。

■バンダイスピリッツ 1/144 スケール HG ヴィクトリーガンダム

■ 大先輩だった波佐本さんとのツーショット表紙。この頃はよく表紙モデルを任せていただきました。

プロの作例

■バンダイスピリッツ ノンスケール MG フィギュアライズ 仮面ライダー改造 桜島ライダー1号

桜島カラーVerを劇中シーンを参考に改造せよ!!

■ 当時バンダイのプロモ担当が桜島ライダーを知らず、これがそうじゃ!という思いで自ら製作。のちにプレバンアイテムでキット化されたのでめでたしめでたし。ショッカーのステッキ付いてないけどな!

©石森プロ・東映

145

FILE 04
コジマ大隊長
KOJIMA DAITAICHO

1968年生まれ。2011年に模型誌のライターとしてデビュー。得意技はスクラッチビルドとジオラマで、汚れ成分高めの作例が多い。月刊『ホビージャパン』誌上での作品製作を精力的に行なっている。関西色強めのノリとトークで一見胡散臭いが、作品は間違いなく絶品。大隊長という名前だが、軍には所属していないし、08小隊にも登場しない。

プロの作例

■1/100「呉爾羅襲来」
『ホビージャパン』2020年10月号掲載

映画で使用された絵巻を元にジオラマを製作
作品は淡路島のゴジラミュージアムにて展示中
©2020 Nijigennomori Inc.

グッドスマイルカンパニー
MODEROID アメリカ海兵隊エグゾフレーム
1/35
「EP1 OUTCAST」
『ホビージャパン』2020年6月号掲載

グッドスマイルカンパニー
MODEROID エグゾフレーム（素体）
1/35
「EP6 JAMAL」
『ホビージャパン』2020年5月号掲載

■ YouTube オリジナル動画「OBSOLETE」のEP1を元に
した架空のジオラマ
海兵隊仕様のエグゾフレームを使ってジャングルに侵入
した偵察部隊の情景作品 ©PROJECT OBSOLETE

■「OBSOLETE」のEP6に登場する即成兵器仕様のエグゾ
フレームをプラ板やエポパテを駆使して改造。
ジオラマベースや建物は100円ショップで調達できる材
料を主にしての製作 ©PROJECT OBSOLETE

グッドスマイルカンパニー
MODEROID エグゾフレーム（素体）
1/35
「エグゾフレーム VS M1 エイブラムス」
『ホビージャパン』2020年2月号掲載

■ 同号の付録で配布されたエグゾフレーム4体とタミヤのM1を使ってEP2のシーンを再現。
これ以降OBSOLETE担当になったキッカケの作品
©PROJECT OBSOLETE

147

FILE 05
POOH熊谷
（アニキ）
POOH KUMAGAI

1965年生まれ。北海道在住。
2006年　一念発起して模型の世界へ カチコミをかける。
2007年　月刊『モデルグラフィックス』にてライターデビュー。
2008年　POOH'S MODELING WORKS 設立。
2020年　YouTuber デビュー！
みんなに「アニキ」と呼ばれているが、たぶんカタギ。プロモデラーで最も顔が怖い。いつもサングラスをかけているが、外すともっと怖い。でも心はただただプラモを愛する優しい少年。でもやっぱり顔は怖い。

■アカデミー 1/35AH-1Z ヴァイパーシャークマウス

ウェザリングの練習として作った作品です。

プロの
作例

■タミヤ 1/24GR スープラスピードスター

GR スープラにコンバーチブルがあったら……と妄想を膨らませて作りました。

■タミヤ 1/35 メルカバ Mk 1

自分の YouTube 用に作りました。

■アオシマ 1/12 ヤマハ V-Max

吉本プラモデル部企画プラモ48参加作品です。とにかく 48時間で仕上げることを重視して作りました。

■1/72 フルスクラッチ ADFX-01 モルガン

隔月刊『スケールアヴィエーション』2020年9月号作例です。7ヶ月かけて作った大作です。

■タミヤ 1/24 死神 GT-R

吉本プラモデル部企画「イニシャルQ」参加作品です。エンジンルームにこだわった作品です。

FILE 06
オオゴシトモエ
OGOSHI TOMOE

1978年7月15日生まれ、広島県出身。2000年、模型専門誌『月刊ホビージャパン』のモデラー育成企画の連載を機に、ホビー専門ライター・モデラーとしての活動をスタートさせる。雑誌のホビー特集企画の作例製作、書籍・コラム執筆の傍ら、プラモデル教室や模型製作イベントで講師を務める。2018年に大阪芸術大学 キャラクター造形学科、2020年には大阪芸術大学短期大学部 デザイン美術学科 フィギュアコース 講師に就任。プラモデルのナビゲーターとして"ものづくりの楽しさ"を伝える活動を行う。美しい塗装の作品から錆び錆び汚し作品まで幅広く手掛ける。基本はしっかりしたお姉さんな雰囲気だが、部分的に物凄く天然。吉本プラモデル部チャンネルでは、ビリビリ低周波に挑むなどチャレンジ精神旺盛。
著書『はじめてだってうまくいく ガンプラの教科書』ほか

■睡蓮〜静かなる水辺〜 使用キット：タミヤ 1/32 三菱 海軍零式艦上戦闘機二一型

プロの作例

「第2回 ろうがんず杯」エントリー作品。睡蓮が咲き乱れる池のほとりで、ひっそりと朽ちゆく零戦の情景を作りました。

■コトブキヤ
フレームアームズ・ガール スティレット
著書『はじめてだって楽しい！フレームアームズ・
ガールの教科書』掲載作例

■MG AMX-004 キュベレイ
2004年6月に放送された、フジテレビCS『プラモ
つくろう』の番組で製作。一部、マニキュアを使用
して塗装しました。

■水の中の命　使用キット：タミヤ 1/35 シャーマン
「第1回 ろうがんず杯」受賞作品。役目を終えて海の底に沈んだ戦車が漁礁となって、
多くの命をはぐくむ様子を作品にしました。

FILE 07
朱凰＠カワグチ
SUOU@KAWAGUCHI

各模型メーカーの完成見本や試作品製作を請け負いつつ、『モデルグラフィックス』、『GHL』、『ホビージャパン』等各模型雑誌の作例も手がけている。

音楽もこなすイケメンで、一見クールな印象だが喋るとめちゃめちゃ気さくなお兄さん。ていうかたぶん、みんなが思っているよりお喋り大好き。模型イベントで見かけたら思いきって話かけてみよう！

■MG フリーダムガンダム Ver.2.0 [クリアカラー]
●メーカー：バンダイ
●スケール：1/100

ガンダムベース東京オープン時、同施設で販売されている限定クリアキットを塗装した作例　クリアパーツを活かした塗装表現にて遊び方の一つを提示してみたもの

プロの作例

■MG フリーダムガンダム Ver. 2.0

●メーカー：バンダイ ●スケール：1/100
『GHL』016（ザフトガンダム特集号）掲載作例
「粗密」「引き算と足し算」をキーワードに全身改修を
施している

●メーカー：バンダイ ●スケール：1/100
『モデルグラフィックス』2020年7月号、ガンダム
アーカイヴス『機動戦士ガンダム 鉄血のオルフェ
ンズ』編 掲載作例
「HGに恋するふたり」（KADOKAWA）の劇中でも
描かれた（本人も登場している）

■MG ガンダムバルバトス

■SD 千生将軍

■●メーカー：バンダイ ●スケール：SD
『GHL』014（コミカライズ MS 特集号）掲載作例
「直球世代だっただけに、当時の自分が欲しかったスタイルを追求してみました」

FILE 08
らいだ〜Joe
RIDER JOE

プラモ＝趣味＝楽しい！を合言葉に、誰でも気軽にプラモを楽しめるよう布教する、水性カラーでお気楽汚しの人。普段は素組み作品が多めだが、スイッチが入るとプラ板とエポパテと100均アイテムで超絶スクラッチを始める。

おそらく日本で最も汚く最も美しい作品を最もお手頃価格で生み出す男。作品製作スピードが恐ろしく早く、GBWCファイナル進出作品をわずか数日で作りあげる。ゴッド汚ハンド。

第14回オラザク金賞、第16回オラザク銅賞、GBWC2011,2013,2015,2017ファイナリスト。

■フジミ模型 ノンスケール メカザリガニ
月刊『ホビージャパン』2020年7月号の作例。メッキ調スプレーからの水性ホビーカラーで塗装し、"はがし塗装"＋お気楽汚しで、金属管を演出しました。

プロの作例

■バンダイスピリッツ 1/48 妻鹿事務砲
（メガサイズ・ジムキャノン）
月刊『ホビージャパン』2020年7月号の作例。メガサイズガンダムからのお気楽改造です。ジム頭のロスト石膏粘土製法によるフルスクラッチは意外とお気楽なのですよ～♪

■バンダイスピリッツ 1/144
デザートふみな先輩
素組ちゃんです。『少女を汚す……』というテーマで、ふみな先輩をお気楽汚し。塗装表現でキリっとした表情に変更し、デザートカラーにマッチするよう、小麦色の肌で仕上げました。

■バンダイスピリッツ 不明 プチッダム
プチッガイさんにVブレードを取り付けて、色分けだけでガンダム風に……。実は対峙する位置に、プチッドム三連星が迎え撃っているのです。

■バンダイスピリッツ 1/100
グフ Ver2.0 からのプロトタイプ・グフ
プレバンでキット化される前にどうしても欲しかったのでスクラッチしてしまった子。鼻？の長さなどは『これぞグフ！』というイメージで仕上げています。

FILE 09
Ken-1
KEN-1

カーモデルフィニッシャー、S45京都生まれ京都在住。

スーパーカー、ガンプラブームで本格的なプラモデル製作に触れ、次に来るF1ブームの時に現在のカーモデル製作の基礎となる技術を習得。

しかし次第にギターやバンド活動、スキー等にハマりプラモデル製作から遠ざかり長いブランクに。

いろいろ落ち着いた10年ほど前に突如模型製作に復帰。

完成品をSNSにアップしていると先輩ライター坂中氏の目に留まり『モデル・カーズ』誌にてライターデビュー。

その後、『DUAL MODELING REPORT』02 LFA、新紀元社『究極のランボルギーニ』、『モデルアート』別冊『オートモデリング』等で作例を担当。

完成品販売やオーダー／依頼製作、YouTube等の活動もしている。

喋りは京都感たっぷりだが、よく言われる京都人特有のイヤミなどは言わない。表裏もない。ストレートに車とギターをこよなく愛す気のいいおっちゃん。

■タミヤ　1/20 マクラーレンホンダ MP4/5B

『モデルアート』増刊「オートモデリング No34」
日本GP仕様改造フルディテール作例
共にエンジン／パイピング等を追加したフルディテールモデルとして製作しています。

プロの作例

■タミヤ　1/20　ホンダ RA272

『モデルアート増刊』「プラモで集める Powered by Honda」メキシコGP仕様フルディテール作例

■アオシマ 1/24 MGB

自身のYouTube
チャンネル「オ
ンラインの製作
会」企画で製作
しました。

■タミヤ 1/12 ポルシェ 934 イェーガーマイスター

■アオシマ 1/24 ランボルギーニ ウラカン

新紀元社刊『モデル・カーズ』『究極のランボルギーニ』
オープン化改造作例通常のノーマルルーフをカットし
てロードスターへと改造しています。

『モデル・カーズ』No287 ポルシェ特集用作例
昔憧れの的だったタミヤの 1/12 ポルシェキットを、
今の技術でリファインして仕上げています。

■フジミ 1/24 フェラーリ 330P4

『モデル・カーズ』No295 演じるクルマ特集 フェラーリ→RCR(レプリカ)330P4 化改造作例
「フォードvsフェラーリ」に登場したレプリカ 330P4 を再現。ウェザリングにも挑戦しています。

■ホビーデザイン ニュルブルクリンク パッケージ トランスキット追加

■タミヤ 1/24 レクサス LFA
LFA D1GP 仕様へ改造

共に SPEC 刊 『DUAL MODELING REPORT』 02 Ken-1
D1 仕様はエンジン / 内装もスクラッチ。そしてその複雑なカラーリングを全て塗装塗り分けで仕
上げています(ロゴはデカール作り起こし)。塗装塗り分けだけで丸々1週間の時間が掛かっています。

FILE 010
NAOKI
NAOKI

モデラーであり各種デザイン、
プロデュースなどを手がけるマルチクリエイター。
2003年に電撃ホビーマガジンで作例デビュー以来、プロモデラーとして各模
型誌で作例を発表し続けながら、ガンダム模型専門誌『GHL（ガンダムホビー
ライフ）』ではモデラーとして作例を発表するだけではなく、スーパーバイザー
として誌面企画や担当モデラーの手配まで、総合プロデュースを手掛ける。
また、自身のブランド「NAZCA」で塗料やツールなどの商品プロデュースも
行っている。
デザイナーとしては各種ガンダムシリーズなどにメカニックデザインとして参
加しつつ、プラモデルの開発にも携わる。
現在はプラモデルオリジナルコンテンツ「ティタノマキア」を立ち上げ、プロ
デュースから世界観設定、デザインまで行っている。
プロフィール写真はちょっとナルシストっぽい感じがするが、元モデルだから
しゃーない！
実際は朗らかで少しシャイ。

以前より少しふっくらしたと感じる人も多いだろうが、彼女さんの飯が旨すぎ
るらしい。
そんな彼女さんと最近ゴールイン！ホヤホヤの新婚さん！おめでとうござい
まーす！

バンダイスピリッツ
■HG Hi-ν ガンダム ヴレイブ
スケール：1／144

プロの作例

自身がメカニックデザインを担当した「ガンダムビルドファイターズD」に登場、キット化された本機体を作例として更に徹底改修。

バンダイスピリッツ
■HGUC ブルーデスティニー1号機
スケール：1／144

自身がメカニックデザインを担当している月刊『ガンダムエース』にて連載中のコミック「機動戦士ガンダム外伝 ザ・ブルーデスティニー」に登場する機体をコミック版として製作。

バンダイスピリッツ
■MG キュベレイ
スケール：1／100

『ガンダムホビーライフ』003掲載。キュベレイをオリジナルアレンジで製作。のちに本作例をベースにキュベレイダムド、アンベリールとしてキット化されている。

バンダイスピリッツ
■HG ライトニングZガンダム
スケール：1／144

「ガンダムビルドファイターズトライ」にてメカニックデザインを担当、キット化された本機体を月刊『モデルグラフィックス』作例として更に徹底改修とオリジナルカラーリングにて製作。後に本作例のカラーリングを元に「ライトニングZガンダム アスプロス」としてキット化された。

TETSUO SATO

部・長・語・録

吉本プラモデル部

Vol.

5

失敗したところ。
気にしてるのは、
自分だけだよ。

君には
プラモの声が
聞こえるかい？

部長の製作日誌

巻末の特別企画として、哲夫部長が「HG 1/144 シャア専用ザク」を製作するプロセスのすべてを大公開。貴重で笑えるアドバイスが満載。まさに本書でしか読めないレアな記録をどうぞ！

作る！

Create!

積んで眺めるだけでも楽しいプラモデル！　でもその境地に達するにはまず「作る楽しみ」を知ってからだ！　失敗してもいい！　途中で諦めてもいい！　とりあえず作ってみよう！　最終的には「お店に売ってる陳列されたプラモを眺める」だけで楽しめるようにもなるぞっ！

01

さあ、まずは箱を眺めよう！　カッコいいイラストを見て、どういう仕上げにするか、イメージトレーニングだ！　そのまま満足して積むのもアリだ！　君がそれで楽しいなら、な！

02

そして説明書でパーツを確認。ぶっちゃけオレはあまりしない……。めんどくさいんじゃない！「国内メーカーを信用している」だけだ！　本当だぞ!?

03

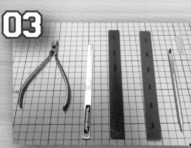

絶対使う工具はコレ！　ニッパー、ヤスリ、デザインナイフ！　この3つは風呂に入る時以外は常に持っているものだ！　なおヤスリは、ガンプラの場合、600番と1000番があればいいと思っている。

04

ネジザウルス、ピンセット、目立てヤスリ。こちらは「できるだけあったほうがいい」工具だ。なくても作れるけど、オレはこれがないと泣く。40代妻子持ちだが、声をあげて泣く。

05

ニッパーでランナーからパーツを切り離すと、チョコンと跡が残る。これが「ゲート跡」だ。コイツが残っていると、どんなにカッコいいジオラマに仕上げても、「ああ、プラモデルなんだな」感が出てしまう！　時間と体力に余裕があれば、消そう。なければ、メシを食って寝ろ！

06

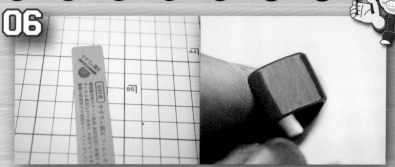

600番のヤスリをかける。こんな感じ！　まだ、ヤスリでこすった部分が白くなって残っている。

07

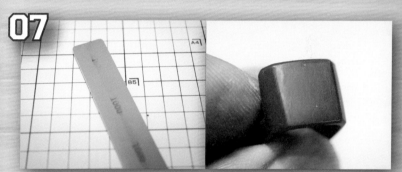

次に 1000番のヤスリだ。ヤスリは数字が大きくなるほど、目が細かくなると覚えておこう。学校や塾じゃ教えてくれないぜ！　1000 番までかけるとこの通り。これくらいきれいにしておけば、ツヤ消し仕上げなら跡は残らないだろう。証拠隠滅！　完全犯罪を目指せ！

08

09

ゲート跡付近に、時折こういう線のようなものがある。これが「パーティングライン」だ。これもゲート跡同様にヤスリをかけて消そう！なお「パンティーライン」と間違えないように、気を付けながら消そう。

パーティングラインは、こういうパイプみたいなパーツの横にも入っていることが多いぞ。見逃すな！

10

パーツの表面にモヤっとした模様のようなものができていることがある。これが「ウェルドライン」だ。できれば、こいつも消そう！　消すのが面倒なら、そっと目を閉じて「ウェルドラインなんてなかった……」とつぶやき忘れよう。

11

スラスターなどの小さなパーツにも、もちろんゲートが存在する。だが、こいつにヤスリをかけるには非常に持ちにくい。そこで、ネジザウルスの出番だ！　ネジザウルスの保持力はすごいぞ。そのしっかりと支えてくれる様は、まるで経済力のある男性のような安心感だ！

12

面の広いパーツに軽くヤスリをかけてみるとわかるのだが、少しへこんでいる部分がある。これは「ヒケ」と呼ばれるものだ。少しのヒケなら、そのままヤスリで消してしまおう。

13

胸や肩などの注目が集まる部分は、特に丁寧にヤスリがけするべきなのだが、本当は全部を丁寧にやるべきなのだが、オレ面倒くさがりなんで……。でもみんなは、アタイのようになっちゃいけないよ！

14

そんなことしているうちに、胸部完成！　もうカッコいい！　そのまま飾ってもいいぞ！

15

頭部パーツのモノアイレール。ここにもゲート跡があるが、見えない部分なので処理しなくてもいいかと思いきや！　可動する部分のため、ちゃんとゲート処理しておかないと、引っかかって動かしにくくなってしまうのだ。たまにメーカーがこういうワナをしかけてくるので、気を付けろ！

16

ツノ。アンテナらしいけど、まあツノだ。ここにはフラッグと呼ばれる、チビッ子に安全にプラモを楽しんでもらうための対策が施されている。だが、40代はチビッ子じゃないので切り落とす。だって、尖っているほうがカッコいいもん!

17

さあ、これでもう胸像として完成だ! もう、飾ろう! 十分カッコいいって!

18

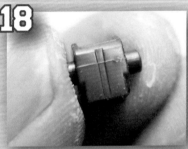

腕の関節パーツ。こういう部品には、ちょっと気づかないところにパーティングラインが入っていることが多い。見落とさないようにじっくりチェックするか、気にしないことだな!

19

仮組みの際には、ピンをはめる穴の部分にニッパーで切れ込みを入れる。これで、後でまたパーツを外しやすくなるのだ。ゆるゆるになり過ぎてしまったところは、あとで接着だ!

20

微妙に角度のついているパーツは、その角度に気を付けてヤスリをかけよう。様々な方向から見てみるとわかりやすい。

21

シールドなどは面も広いし直線が多いので、しっかりヤスリをかけないと、ヒケなどが目立ってしまう! 塗装が終わった後に気づいちゃった場合は、布団を頭から被って大きな声を出し、悔しさを発散しよう。

22

これで上半身が組み上がった！　胸像状態の時よりかえって飾りにくいので、ここまで組んだら、もう全部組み上げよう！

23

足のパーツ、いわゆる「スリッパ」と呼ばれる部分。結構ヒケが目立つので、しっかりヤスリをかけよう。

24

これくらいまでやっておけば、大丈夫！
……多分。

25

このザクなどはまだ大丈夫だけど、足の裏が別パーツになっているキットなどは、仮組みの後でパーツを外せなくなるパターンが多い。

26

したがって、ここもやっぱりダボの部分に切れ目を入れておこう。

27

ヒザの関節パーツ。このあたりは仮組みの時点ではそれほど気を付けることもないだろう。だが、可動する部分もあるため、ハメたり外したりする時に折れないように！　もし、バキッと折れたら、そのまま心までバキッと折れるぞ！

28

太ももパーツ。ここにもゲート跡とパーティングラインが！ 特に段落ちモールドに接しているゲート跡は慎重に処理したい。ヤスリ過ぎて段落ちモールドまで削り落してしまわないように。デザインナイフで削りとるのも手かもね。

29

ふくらはぎの下のスソ部分。ゲート跡の処理は勿論だがエッジ部分もシャープになる様にヤスリをかけよう。

30

こういう所がピンとしていると全体がピンとして見える。ダラッとしたほうが好きという者はそれで良い。結局は好みだ！

31

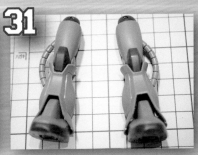

両脚が完成！ 新しいガンプラなどは、左右共通のパーツを間違えるとはまらないようにできているものも多いが、そうでないキットもある！ 片脚ずつ作るか、ランナーから切り離した時に印をつけてくのがいいかもね。

32

このキット、腰のパーツは2種類入っているぞ。通常のプラスチックのパーツと軟質のゴムっぽいパーツ。可動フィギュアとして遊ぶなら軟質パーツもいいが、今回はガッツリ塗装するのでプラパーツをチョイス！

33

ついに本体の仮組み終了！ 自分の好みに改修するならともかく、とりあえず改装なんてしなくてもプロポーションは良好！ 仮組みが終わったら、「うぉ〜！ カッケぇ〜〜〜！」と叫びながら、3日は過ごそう。なんなら抱いて寝ろ……やっぱやめとけ！ 起きたらパーツが折れているかもしれん。

34

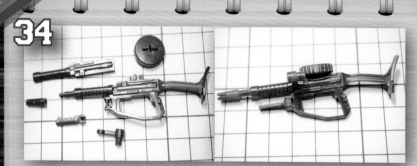

マシンガンのパーツはこれだけ。本体と違って仮組みは不要かな。とっとと接着だ！　合わせ目が結構あるから、覚悟しとけ！

35

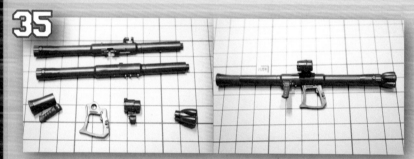

バズーカ。この辺の武器もマシンガン同様にとっとと作る！　とっとと作る理由は、後回しにすると面倒になり「やっぱ、武器はいいか」って気持ちになるからだ！

36

ヒートホークは1パーツ構成なので、パーティングラインを消すだけで良い。

37

ポージングの際、表情をつけるのに大事なのは、手！　こぶしだ！　ただし、「手」とか「こぶし」ではなく、「マニピュレータ」と呼ぶことにより、「あ、この人プラモ知ってるな！」という雰囲気を出せる。

38

ここからは、いよいよ合わせ目消し作業だ。「あ、オレプラモしてる」って、実感がわくぞ！ まぁ、このシャアザクのような新しめのキットは目立つ合わせ目は少ないのだが、ココ！ この二の腕パーツの合わせ目はちょっと目立つ。

39

しかし、ここを接着してしまうと、後で関節部分のグレーのパーツとの塗り分けが面倒くさい！ そこで！ 「後ハメ加工」というテクニックを駆使するのだ！

40

使う道具は、小さなノコギリやスジボリ用工具。これでパーツを切断！

41

ここを切り離す。

42

このパーツとこのパーツに分けて

43

こうすれば、合わせ目の部分を接着した後からハメることができる！

44

切り離してないほうと見た目の差が出ないように、こっち側にはスジボリを彫ろう！こんな感じ！

45

プラモデル用接着剤をしっかりつけて、少し時間をおいて。

46

合わせ目がムニュっとなるまで、ガッチリ合わせる！ この「ムニュ」のことをみんな「ムニュ」と呼んでいる。ほかにいい呼び名が見つからないのだろう。

47

続いてツノの加工だ！ ちょっとブッといよね。なぜだかわからないけど、ツノがブッといのはなんかカッコ悪いと思われている。

48

そこで、ヤスリで薄くして、先っちょをピンと尖らせよう！

49

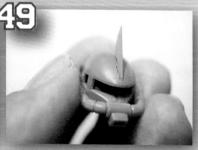

理由はわからない。わからないけど、ホラ！こっちのほうがカッコいいでしょ！「そうは思わない」って人は、ブッといままでもいい。

50

モールドが入り組んだ場所にはヤスリのカスが
たまりがち！　コイツが塗装の時にザラついた
りして悪さをしやがる。

51

オレは塗装に入る前に、ドライブラシ用の筆で
このヤスリカスをきれいにはわく！　ちなみに
"はわく"とは九州の方言で"掃く"ことだ。

52

「玄関先でほうきではわく」こういう風に使う
ぞ！　覚えておいて損はないぞ。得もないけど！

53

スラスターのパーツ。「バーニア」と呼ぶ人もい
るが、本来の意味としてはスラスターが正解の
ようだ。ぶっちゃけ、どっちでもいい。オレは「ス
ラスター」のほうが響きがカッコいいと思って
いるので。

54

そんなスラスターの縁をこういう器具（名前は
知らない）でグリグリして、エッジを薄くする。

55

こうするとシャープな印象になるし、実物サイ
ズを想像して「144倍の厚み」だと考えると、
薄くしたほうがリアルということだ！

56

モノアイはシールが入っているが、それは使わずに自作するぜ！

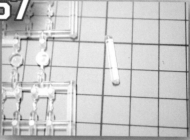

57

モノアイパーツだけで売っている製品もあるが、それは使わず、そのパーツのランナーを切り取る。

58

短く切って、モノアイレールにピンバイスで穴を開けて、そこに差し込む。これでモノアイ完成！

59

よーし！　これくらいで加工はよしとしよう！パーツを「持ち手」につけて、いよいよ塗装だ！

SAKURAIZM

ミニコラム 1

人間も含め、哺乳類には"へそ"という部位が備わっています。これは母親からへそを通して、産まれるまでに必要な栄養などを与えられた証で、模型のゲート跡も同じ機能を持った部位と言えます。人間は成長する過程で様々な事を学び、人々との会話・触れ合いを通し大人へと成長します。そこには当然"苦しみ"を伴う事もあるでしょう。人間と違い模型にとっては、この"へそ"を消し去ることが、模型を次のステップに成長させる作業の第一歩となるのです。加えて模型を大人に成長させる為には模型との対話も必要です。仮組みしたキットを眺めているうちに、その模型がどんな大人に成長したがっているか、その声が必ず聞こえてくるはずです。その声に対して全力でサポートしてあげるのがモデラーの役目と言えるでしょう。運動が得意な子供もいれば、絵や歌が得意な子供もいます。キットにも必ず個性があります。その個性を伸ばしてやる……、それが本当の"キットの素性を活かした工作"ですよ！

塗る！

さあ！ 組み立てが終わった！ 君はもうプラモデルを作る楽しみを知ったはずだ！ しかし！ それを繰り返しているととある違和感を覚えるだろう！ 「あ、箱絵とちょっと違う」とか「あ、みんな同じの持ってる」とかがその正体だ！ それらの違和感を払拭してくれるのが "塗装" だ！ よりクオリティを高め、オリジナリティを出し「自分だけの作品」としてくれるとても大切な工程なのだ！

60

本塗装の前に、この「サーフェイサー」というものをエアブラシで吹いて塗る！ これが「サフを吹く」ってやつだ！ これをすれば、細かいヤスリ傷を消せる、大きな傷を見つけやすくする、塗料のノリをよくする、改装した時の色味を統一するなど、様々な効果があるぞ！

61

今回使うのは、ガイアノーツさんの『サーフェイサー・エヴォブラック』。いわゆる "黒サフ"。

62

黒サフを吹いたパーツがこんな感じ！

63

ぜ〜んぶ真っ黒にした後は、白だ！ フィニッシャーズの『ファンデーションホワイト』。これはいい白。すごく白い白だ！

64

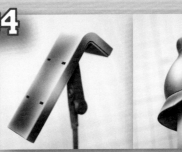

この白をエッジや角の部分、あと光が当たりそうな部分を中心に吹いていく！ 陰になりそうな部分は黒を残すように！

173

65 **66**

それでもわからない時はボックスアートとにらめっこ！　そこに必ずヒントがある！

67

どうしてもわからない時は、まあテキトーだ！自分が「影になりそう」と思うところが黒、「光が当たりそう」と思うところが白だ！

68

白黒グラデーションが完成したら、いわゆる「シャアピンク」の部分を塗っていこう！　アニメではピンクだが、今回はオレの好みで「大河原邦男」先生のイラストにおけるシャアザクのような「少しオレンジがかった赤」で塗ることにする。ガイアノーツさんの『フレイムレッド』に、GSIクレオスさんの『キャラクターイエロー』少量で調色。

69

作った赤色を白黒グラデーションの白の部分を中心に塗っていく。

70

黒の部分にも少しかかるように塗るほうが、グラデーションがきれいになる。「なんか違う」ってなったら、また1回全部黒にしてやり直せば、いいんじゃね？ 納得いくまで何度でもやり直せばいいんじゃね？ そんなもんでしょ！ プラモって！

71

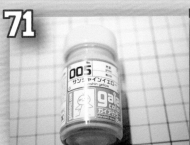

さらに同じ色に少量の明るい黄色を足して、もう一段階明るい赤を作り、グラデーションをかけていく！ 赤を明るくする際に、白を足すとちょっとボケた感じになるため、オレは黄色を足すようにしている。

72

こんな感じに！ さっきまではちょっとくらい赤だったのが、少しずつイメージの色に近づいていく！

73

うまくいくととても気持ちがいいぞ！ 二度寝くらいに気持ちがいいぞ！

74

後にハイライトを入れる！ ここでやっと白を使う。かなり薄いピンクだが、完全に白にしなくてもこれくらいでちょうど白に見えるハイライトになるはずだ！

75

ホ　ラ　ネ　！

76

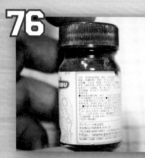

次は濃いほうの赤！ だいたい『あずき色』指定なのだが、今回はガイアノーツさんのメカトロウィーゴカラー『まるーん』＋『富野由悠季の赤』で！

77

この『富野由悠季の赤』は、めっちゃ濃い赤！ 赤い赤！ちょっと白い白とか、赤い赤とか、わかりづらいよね？ ごめんなさい。でも、マジで「赤〜い赤」なのです！

78

やり方は薄い赤の時と同じ！

79

影の黒をいかに残すかがポイントだ！

80

ランドセルは『まるーん』を加えた富野赤で！

81

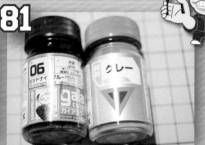

胸やスリッパの黒は、ガイアノーツ『ミッドナイトブルー』とダグラムカラー『グレー』で真っ黒より少し青っぽく。

82

凹凸をちょっと意識するくらいでわりと適当でもそれっぽくなるぞ！

83

関節パーツは、グラデーションは入れずにシルバーとグレーの2色で塗り分ける。

84

シルバーは GSI クレオスの『スーパーアイアン2』。

85

グレーはガイアノーツ・NAZCA カラー『フロストマットブラック』+ダグラムカラー『グレー』で調色。モデラーにとって、「ちょうしょく」は基本的に色を混ぜて作ることだ。たまに「朝食後に調色」といったややこしい状況になるから注意だ！

86

最後に腰パーツにラインを入れよう！

87

デカールを使ってもいいんだけど、手書きっぽいラインが好き。特にイラストっぽく塗装した腰などは、そのほうがなじむ気がするんだよね！というわけで、ここはペベオ『4 アーティストマーカー』で！

88

まずパーツにおおまかな直線を引く。

89

少し太めにいっとけ！

90

ラインにももちろん影ができる！影の部分は塗料皿に白と黒を出してグレーを作り、筆でちょこっと書き込む。

91

少し粗いくらいがちょうどいい。

92

完全に乾いたら、引いたラインより細いマスキングテープでマスキングする。

93

ラインを引いた全パーツにマスキングだ！ 1個くらいはマスキングしなくてもいいかって？ ダメだ！ 全パーツだ！

94

マスキングが終わったら、はみ出ている部分はエナメル溶剤を付けた綿棒でふき取る！

95

そしてマスキングを剥がすと、この通り！ ある程度きれいな線だが、少し手書き感のあるラインの出来上がり！

96

スラスターのパーツには焼け色を入れよう！

97

クリアーオレンジを吹いた後、さらにエッジの
部分にクリアーブルーをエアブラシで！

98

関節パーツの塗り分けも！

99

こんな感じで！ うん、思った感じに出来た！

100

モノアイの接着。

101

こういう目立つのに小さいパーツの接着は神経
を使う。はみ出してもふき取れるような接着剤
を使うと安心。今日はコニシ『デコプリンセス』
を使う。『デコプリンセス』＝「おでこの広いお
姫様」を想像すると、少し笑えるので便利だ！

102

つけ過ぎないように、爪楊枝で！

103

成功ー！

104

というわけで、シャアザクついに完成ー！

105

シャアザクをわしづかみして高く掲げよう！ 完成の喜びを表現できるぞ！ その際に「うおぉぉ～！」や「よっしゃ～！」などと叫ぶと効果倍増だ！

サクライ総統の SAKURAIZM

ミニコラム 2

模型製作において塗装は最も"個性"を表現できる技法です。大規模な改造やディテールアップを施さなくても、塗装を施す事で重層的な深みと、ため息が出るほどの華やかさを加える事が出来ます（それは"汚す"というベクトルで施したウェザリングにおいてもです）。その点で塗装は最大のディテールアップという事が出来るでしょう。更にひと工夫を加えた塗装には必然的にオリジナリティが表れてきます。哲夫部長の塗装に明らかな"個性"が発現したのは、1/100旧キットのドムを製作した時からだと思います。このくらいになると真似しようと思っても、簡単にはコピー塗装をする事が出来ない経験と知識、作品への想いが詰め込まれています。だから僕は100体の完成品があっても、その中から哲夫部長の作品を一発で見抜く自信があります。これは僕の審美眼が優れているという意味ではなく、哲夫部長の作品がそれだけ強烈な個性を放っているからです。この世に1つしかない作品……、そこを目指すための技法が塗装なのです。

完成！

飾る！
Decorate!

ついにここまで来たか！ 勇者「もでらあ」よ！ もうすでに"自分だけの作品"は出来たであろう！ だが安心するのはまだ早い！ せっかく作ったプラモ！ カッコよく飾ってみたいだろう！ そんなわけで今度はちょっとの工夫で作品をよりカッコよく輝かせてくれる"台座"を作ってみよう！

106

あ、飾ろう！ カッコよく飾ろう！ でも、その前に飾るための台座を作ろう！ というわけで、タミヤさんの『ディスプレイベース』。

107
表面にヤスリがけした後、周りにマスキング！

108
白いサーフェイサーで、テキトーに地球と惑星を描く。きれいな丸が描けてなくても問題なし！

109
次に、地球の部分にこれまたテキトーにブルーをのせていく。

110

次に、またテキトーにグリーンを。

111
グリーンを入れると、ちょっと森っぽく見えるのでいい感じ。

112

今度は雲を描くつもりで、ホワイトをまぶす！

113

惑星のほうは別に何色でもいいけど、今回はデザートイエローで。

114

こんな風にぼかした感じに仕上げると、ちょっと惑星っぽい。

115

地球の型取り用にプラ板を切り出す。

116

惑星もプラ板でもよかったんだけど、ちょうどいい丸い容器があったので、これでいいや！
何かのフタとか、この際丸ければ何でもいい！

117

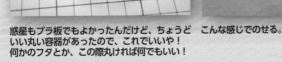

こんな感じでのせる。

118

地球のほうもプラ板をのせる！ ずれないように両面テープを使ってもいいぞ！ そして上から、黒サフをガンガン吹っかけろ！

119

剥がしたら、なんか宇宙っぽくね!? ぽいよね!?

120

惑星には、軽く影つけちゃったり。

121

地球にはマスキング用のプラ板を少しずらして、緑に向かって白に近い青を吹いて、なんとなく輝きっ！

122

さらにT字定規を使って。

123

少し浮かせて、定規の縁にシューと吹いたら、

124

125

こんな感じの光が描けちゃうぞ！

だいぶ宇宙ー！

126

さらに地球にも影を付けて台座が完成！ さあ！ 今度こそ本当にシャアザク飾るぞー！

完成写真は次のページから

どう!?

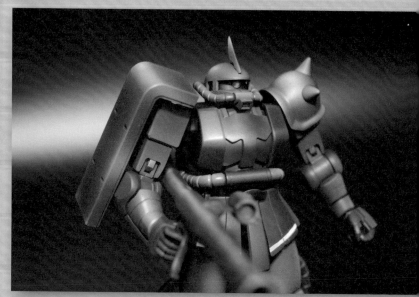

かっけー！ というか、もう けっけー！ けっけーぞ‼ なぜ、こんなにもカッコいいと思えるのか⁉
それはね！「自分で作ったから」なんだよなー！

188

技術なんて、関係ねーよな！

自分で作ったプラモは、やっぱり思い入れが違う！

愛だよ！ 愛‼

さあ、キミも自分の手で！ 自分だけのプラモを作ろうぜっ!!

失敗してもいい！
なんなら上達しなくたっていい！
楽しく過ごせたなら決して
無駄な時間ではないぞっ！
さあ！
君も君だけのプラモを作りだそう！

あとがき

最後まで読んでくれてあざまーす！！
吉本プラモデル部の活動日誌的な本なのでプラモ製作に関して技術向上に繋がるような内容は少なかったと思いますが、吉本プラモデル部という模型サークルが楽しそうに過ごしてるということが伝わって、自分もプラモをもっと色々な観点から楽しめそうだなとか思っていただけたら幸いです！

趣味の世界って他人から「興味を持て」と言われてハマれることはごく稀で、いくらその魅力を説明されようと頭で理解して好きになれるものじゃないですよね？

恋みたいなもんですよ！

だからいくら「プラモブームをおこしたい！」っていう目標を掲げても、我々に出来ることなんて何もないんです。

ただ恋をしている我々を見て「恋っていいなぁ」と恋に恋してもらえたら、あとはご自身で本当の恋を見つけてください。

そしていつの日か、気付かぬうちに天井に届いた積みプラを見上げて、恋が愛に変わったことを実感してほしいです！

最後にこの本の出版にあたり、多大なるフォローをしてくださった模魂ちゃんレギュラーのサクライ総統、チョートクさん、プロモデラー名鑑にご協力いただいたプロモデラーの皆様、吉本プラモデル部の本を出すというアグレッシブな決断をしてくださった山と溪谷社さん、その他助力いただいた皆様に心より感謝申し上げます！

そして、この本を読んでくださった皆様には感謝しつつもあえて言おう！

「あとがきまで読んでねえでプラモ作りなっ！！」

部長　佐藤哲夫

吉本プラモデル部

■プロフィール

部長の佐藤哲夫をはじめ、プラモデルを愛してやまない芸人やその仲間たちが集まって精力的に活動。ライブを定期開催してプラモデル作りの魅力を発信するほか、プラモデル・模型・ジオラマ等の展示会やイベントにも積極的に参加するなど、プロアマ問わず全国のモデラーたちとの交流も深めている。YouTube 動画「吉本プラモデル部チャンネル」も毎日更新し、好評を博している。

撮影／遠藤 潤

装丁・本文デザイン／ WATANABE DESIGN 渡辺孝之

本文イラスト／茉衣

編集協力／有限会社エディターズ・キャンプ、渡辺敏樹、桜井信之

編集／鈴木幸成（山と溪谷社）

吉本プラモデル部 活動記

2021 年 4 月 10 日　初版第 1 刷発行
2021 年 4 月 25 日　初版第 2 刷発行

著　者　吉本プラモデル部

発行人　川崎深雪

発行所　株式会社　山と溪谷社

〒101-0051
東京都千代田区神田神保町 1 丁目 105 番地
https://www.yamakei.co.jp/

印刷・製本　大日本印刷株式会社

■乱丁・落丁のお問合せ先
山と溪谷社自動応答サービス
電話　03-6837-5018
受付時間／ 10 時〜12 時、13 時〜17 時 30 分（土日、祝日を除く）
■内容に関するお問合せ先
山と溪谷社
電話　03-6744-1900（代表）
■書店・取次様からのお問合せ先
山と溪谷社受注センター
電話　03-6744-1919 ／ファクス　03-6744-1927